D1127412

btb
Aus Freude am Lesen

btb

Buch

Leyla trifft Samo auf dem New Yorker Flughafen. Sie ist eine junge Studentin aus Istanbul, er der Sohn eines Ministers aus dem jugoslawischen Kosovo. Bereits im Flugzeug weiß Samo, daß er Leyla liebt und sie jederzeit zu sich holen würde, wenn sie es möchte. Und seine rasch und leicht gefaßten Entschlüsse hinterlassen bei ihr eine angenehme Verwirrung.
Als Leyla dann tatsächlich in Not gerät, ist Samo für sie da. Bei ihm zu Hause erwartet Leyla viel Freundlichkeit, und außerdem lebt er in einem sozialistischen Land – davon träumt Leyla ebenso wie alle Studenten in Istanbul. Wie bitter jedoch ist die Enttäuschung, als Samos Familie vom Sozialismus gar nichts wissen will und für Leyla als Frau nur die traditionelle Rolle vorgesehen hat.
Die Zunge der Berge erzählt die eindrucksvolle Geschichte einer jungen Frau zwischen Tradition und Moderne, zwischen der großen Romantik und neuer Freiheit – ein einprägsamer, zutiefst poetischer Roman einer großen Erzählerin.

Autorin

Aysel Özakin, geboren in Urfa in der Türkei, studierte Romanistik und arbeitete als Lehrerin. Nach langjährigem Aufenthalt in der Bundesrepublik ist sie nach England übersiedelt und lebt heute in Cornwall. *Die Zunge der Berge* ist ihr fünfter Roman.

Aysel Özakin

Die Zunge der Berge

Roman

Aus dem Englischen von
Jeremy Gaines und Klaus Binder

btb

Der in englischer Sprache geschriebene
Roman trägt im Original den Titel
»The tongue of the mountain«.

Umwelthinweis:
Alle bedruckten Materialien dieses Taschenbuches
sind chlorfrei und umweltschonend.

btb Taschenbücher erscheinen im Goldmann Verlag,
einem Unternehmen der Verlagsgruppe Bertelsmann.

1. Auflage
Genehmigte Taschenbuchausgabe April 1997

Umschlaggestaltung: Design Team München
Satz: IBV Satz- und Datentechnik GmbH, Berlin
T.T. · Herstellung: Augustin Wiesbeck
Made in Germany
ISBN 3-442-72118-0

1

Der Mann drüben neben der Abteiltür blickt verstohlen zu mir herüber. Er spricht mit seiner Frau in einer fremden Sprache. Ich glaube, ihn zu kennen, und das beunruhigt mich. Bin ich ihm nicht früher schon einmal begegnet? Dieser dunklen und sehr lebhaften Frau sicher nicht. Aber ihm. Er muß Mitte vierzig sein, ungefähr in meinem Alter. Er hat helles Haar, das sich bereits lichtet, und sein kantiges Gesicht ist von Falten durchzogen. Ja, ihm bin ich irgendwo und irgendwann schon einmal begegnet. Es ist nicht sein Äußeres, sein Gesichtsausdruck löst dies Gefühl des dejá vu in mir aus und auch diesen Schmerz, der mich, ich weiß nicht warum, durchzieht.

Ich versuche, mich auf mein Buch zu konzentrieren. Der Zug fährt rasch und schaukelnd nach Süden.

Jetzt lachen sie, und plötzlich weiß ich, welche Sprache sie sprechen. Serbokroatisch. Ja, ich kenne ihn tatsächlich. Er ist es. Ich starre ihn an, mein Herz rast. Er ist der Bruder von Samo. Er ist Nuri. Ich fühle, wie es mich drängt, ihn anzusprechen. Aber ich kann es nicht. Ich will nicht sprechen. Ich schaue zum Fenster hinaus. Nebel und Regen. Flaches Land. Und in meinen Kopf dringen blasse, verschwommene Bilder. Zweiundzwanzig Jahre ist das her. Weiße Rosen. Der Duft von Sliwowitz. Samo... meine innere Stimme flüstert diesen Namen. Lächelnd kommt Samo auf mich zu.

2

Er hat mir die Kamera gezeigt, die er im Duty-free-Shop gekauft hatte. Wie begeistert er darüber gewesen war, daß er diesen kleinen Apparat gefunden hatte, kaum größer als ein Sandwich. Das war auf dem Flughafen. In New York.

Ich habe ihm meinen Namen gesagt. Leyla. Und er wollte meinen schweren Koffer mit den vielen Geschenken tragen, die mir mein Onkel für die Verwandtschaft in der Türkei mitgegeben hatte. Mein Onkel, halb Armenier, halb Türke, war Besitzer eines kleinen Lebensmittelladens in New York. Es war meine erste Auslandsreise. New York. Die Stadt, in der ich herausfand, wie schnell die Zeit vergehen kann, in der ich sah, daß Menschen direkt unter dem Himmel leben können und daß man eine riesige Stadt mit langen geraden Straßen so übersichtlich machen kann. Eine Stadt, in der ich dachte, daß es auf mich überhaupt nicht ankommt, so viele Menschen waren ständig um mich herum.

Mein Onkel hat mich gefragt, ob ich nicht in New York bleiben und bei ihm im Laden arbeiten wolle. Ich habe abgelehnt. Danke, habe ich gesagt, ich muß zurückfahren. Ich dachte, ich sollte an einem Ort leben, an dem ich meinen Idealen folgen konnte. Ja, ich hatte Ideale damals.

Drei Wochen sei er in den Vereinigten Staaten gewesen, einen Kurs für Techniker habe er besucht, zusammen mit zwanzig anderen in ganz Jugoslawien ausgewählten Kollegen. Samo war Bergbauingenieur.

Er wollte, daß wir uns im Flugzeug nebeneinandersetzten, also bat er einen Mitreisenden, den Platz mit ihm zu tauschen. Wir hatten einen langen Flug vor uns, eine ganze Nacht würde er dauern.

Heute frage ich mich, ob wir überhaupt geschlafen haben. Vielleicht nur ganz kurz. Aber nein, wir haben gar nicht geschlafen. Wir haben viel gelacht. Und als alle anderen im Flugzeug zu schlafen schienen, da flüsterte er mir etwas ins Ohr.

»Wollen wir heiraten?«

Das verblüffte mich. Ich war damals zwanzig, war schlank und hatte kleine Brüste. Und war sehr sprunghaft, mal wirkte ich mutig, dann wieder ängstlich. ›Gazelle‹ nannte mich meine Mutter, wegen meiner großen dunklen Augen.

»Aber wir kennen uns doch gar nicht«, flüsterte ich.

»Woher soll ich wissen, daß ich jemals wieder ein Mädchen wie dich treffen werde?« flüsterte er zurück.

Ich war so glücklich. Er bat mich, meinen Kopf an seine Schulter zu lehnen; ich solle versuchen zu schlafen, bei der langen Reise, die ich vor mir hätte. Von Zagreb aus würde ich nach Istanbul weiterfliegen. Er dagegen würde in Zagreb den Bus nehmen, in seine Heimatstadt fahren, nach Vitche, in der Provinz Kosovo. Dort lebte er mit seinen Eltern und seinen zwei Brüdern.

»Mein kleiner Bruder ist acht; ein kluger kleiner Kerl, aber sehr verwöhnt«, sagte er.

»Und du, wie alt bist du?« fragte ich ihn.

»Dreiundzwanzig.«

»Wirklich?«

Er sah älter aus. Durch seine hohe Stirn zogen sich Falten, und sein feines blondes Haar lichtete sich bereits. Er fragte mich nicht nach meinem Alter. Statt dessen fragte er, oh ich schon arbeiten würde. Ich erzählte ihm, daß ich noch Anglistik studiere, in drei Monaten würde ich mein Lehrerinnenexamen machen.

»Oh!« sagte er mit übertriebener Hochachtung.

Als ich meinen Kopf an seine Schulter lehnte, fühlte ich, daß ich ganz nah bei einem war, der mich nie verletzen würde. Er bemühte sich sogar, regelmäßig zu atmen, um mir das Einschlafen zu erleichtern, davon war ich überzeugt. Ich empfand die Wärme seiner Haut, versuchte zu schlafen, aber ich war viel zu aufgeregt. An der Hochschule hatte ich einen Freund, der im dunklen Kino immer die Hand auf mein Bein zu legen versuchte oder mir an die Brust fassen wollte. Ich ließ ihn gewähren, denn ich wollte nicht, daß mich einer für altmodisch hielt. Nach einem Streit haben wir uns getrennt; er war böse auf mich, er warf mir vor, daß ich einem meiner Kommilitonen durch das Busfenster zu intim zugewinkt hätte.

»Nein, ich kann nicht schlafen«, sagte ich und nahm meinen Kopf von Samos Schulter.

»Willst du ein Stück Schokolade?« fragte er.

Obwohl ich mitten in der Nacht eigentlich keine Schokolade essen wollte, sagte ich ja.

Daß wir, während alle anderen schliefen, miteinander Schokolade aßen, gab uns ein Gefühl der Komplizenschaft.

Ich lehnte meinen Kopf erneut gegen seine Schulter. Da nahm er meine Hand. Er küßte mich. Nicht mit der Gier eines Diebes, und auch nicht mit der Eitelkeit eines Besitzers. Sein Kuß war wie eine geflüsterte Frage. Es war, als hätte er mein Herz geküßt.

»Meine Mutter wäre sehr glücklich«, sagte er, »wenn ich ein türkisches Mädchen heiraten würde.«

Ich fragte warum. Er erklärte es mir. Seine Mutter sei türkischer Abstammung. »Eine tscherkessische Türkin«, fügte er hinzu.

Ich habe nicht davon gesprochen, daß meine Großmutter ebenfalls eine Tscherkessin war. Ich wollte ihm nicht von einer Großmutter erzählen, deren Vater ein Vetter von Sultan Abdülhamit gewesen war. In Saloniki war sie zur Welt gekommen. Und als sie zwei Jahre alt war, ist ihr Vater, General der osmanischen Armee, im Krieg gefallen. (Da mich Einzelheiten der Geschichte nicht sonderlich interessierten, wußte ich nie, in welchem Krieg er starb.) Nach dem Tod ihres Vaters wurde sie von Saloniki nach Istanbul gebracht, in den Palast des Sultans. Dort blieb sie, bis sie elf Jahre alt war. Und dann fand sie sich eines Tages auf einem Schiff wieder, mit allen Mitgliedern der Familie des Sultans, die nach Rhodos flohen, das zu jener Zeit noch Teil des Osmanischen Reichs war. Die Republik von Kemal Atatürk hatte sie alle ins Exil getrieben. Und das konnte meine sanfte Großmutter, die nie lesen und schreiben lernte, dem Begründer der neuen Türkei nie verzeihen.

Ich fragte Samo, ob seine Mutter arbeite.

»Sie arbeitet freiwillig in einem marxistischen Frauenzentrum.«

Als Samo das Wort ›marxistisch‹ aussprach, lief mir ein

Schauer über den Rücken, und ich blickte mich ganz automatisch um, ob nicht irgendwo eine Schattengestalt, ein türkischer Geheimpolizist mithörte und unser Gespräch mit einem versteckten Tonbandgerät aufzeichnete. Das Wort ›marxistisch‹ war damals in der Türkei bereits ein gefährliches Wort. Die Türkei war von Unruhen beherrscht, es war kurz vor dem zweiten Militärputsch. Das ganze Land schien in zwei Lager gespalten zu sein: in das der Reaktionäre und das der Revolutionäre. Die Reaktionäre waren entweder Panislamisten oder aber Anhänger der pantürkischen Idee. Gegen beide wandten sich die Revolutionäre. Es gab eine sozialdemokratische Partei, die die Ideen Kemal Atatürks verteidigte; die meisten Studenten aber gefielen sich in der aufregenden Rolle eines Revolutionärs besser. Zu diesen Studenten gehörte auch ich.

Revolutionär, das klang zeitgemäßer, und außerdem hatten wir so das Gefühl, alle zusammen einer Generation anzugehören.

Ich nahm regelmäßig an den Veranstaltungen eines Jugendverbandes teil. Dort redeten alle einen politischen Jargon, der aus übersetzten Büchern stammte. Manche dieser Worte befremdeten mich, wie zum Beispiel das Wort ›militant‹. Ich sah mich nicht als Militante, die in einer Revolution kämpfen würde. Ich hatte eher Angst vor Gefahren und Schmerzen. Ich hatte Angst vor Krieg.

Ich dachte, Samo hat es gut, sein Land braucht keine Revolution mehr, seine Mutter kann in einem marxistischen Zentrum arbeiten, ohne deswegen verfolgt zu werden. Aber zu meiner Überraschung sprach Samo während dieses langen Flugs zwischen New York und Zagreb kein einziges Mal vom Marxismus. Statt dessen erzählte er mir amüsante Geschichten über seine Zeit in New York. Das sei eine großartige Stadt, allen könne man dort begegnen, Chinesen, Italienern, Franzosen, Griechen, Polen, Mexikanern und sogar Jugoslawen. Eine internationale Stadt, sagte er. Und doch sei er froh, nach Hause zurückzukehren.

»Das geht mir genauso«, sagte ich.

Es wurde Tag, Tee und Kaffee wurden serviert, und ich glaubte, aus einem Traum zu erwachen, obwohl ich doch kein Auge zugetan hatte in dieser Nacht. Aber mit dem Tageslicht kam auch mein Realismus zurück, und ich war sicher, daß wir uns nie wiedersehen würden, obwohl Samo gesagt hatte, er würde binnen einer Woche zu mir in die Türkei kommen, ich müsse ihn nur rufen. Er war so rasch in seinen Entscheidungen, und seine Gefühle zeigte er so freimütig, daß ich ihn nicht recht ernst nehmen konnte.

Nach dem Frühstück schluckte er eine der Vitamintabletten, die er in Amerika gekauft hatte. Er gab mir auch eine und fragte mich dann, ob ich das Röhrchen nicht behalten wolle. »Nimm jeden Tag eine und denk dabei an mich, und wenn sie aufgebraucht sind, rufst du mich an«, sagte er, und wir lachten.

Ich fragte, ob er denn in der Fabrik, in der er arbeitete, so leicht Urlaub bekommen würde. »Kein Problem«, sagte er. Die Fabrik hatte eine autonome Verwaltung (Selbstbestimmung nannte er das), und der Leiter war sein Freund.

»Und was ist mit dem Visum?« fragte ich.

Auch das sei kein Problem, denn vor kurzem habe Jugoslawien seine Grenzen zu nichtsozialistischen Ländern geöffnet. Vor einem Jahr schon hatten seine Eltern Verwandte in Istanbul besucht.

Ich fragte ihn, was sein Vater denn mache. Der sei Minister. Als ich das hörte, lief mir wieder dieser Schauer über den Rücken. Wenn die türkische Polizei herausbekäme, daß ich mit dem Sohn eines Ministers aus einem sozialistischen Land so nah befreundet war, würde man mich womöglich als Spionin verdächtigen. Ach du liebe Güte! Jetzt wünschte ich fast, ich hätte Samo meine Adresse nicht gegeben, und dabei war es nicht einmal meine, sondern die meiner Cousine in Istanbul. Suzan war mit einem reichen Mann verheiratet und kümmerte sich nicht um Politik. Für sie bedeutete Glücklichsein, attraktiv zu sein, einen reichen Mann zu haben und viel Schmuck und modische Kleider kaufen zu können.

Am Flughafen in Zagreb nahm Samo Abschied von seinen Kollegen. Sie unterhielten sich in ihrer Sprache und lachten; sie dachten wohl, daß zwischen mir und Samo schon etwas gelaufen sei. Samo wollte mir noch beim Wiedereinchecken helfen. Er trug meinen schweren Koffer und den seinen und brachte mich zu dem Schalter, vor dem ich sechs Stunden lang auf die Maschine nach Istanbul warten mußte. Er zeigte seine Gefühle mit einem herzlichen Lachen und einem Schimmer der Rührung in seinen Augen. Wir küßten uns auf die Wange, dann winkten wir einander mehrmals zu.

Kurze Zeit später legte ich mich auf eine der Plastikbänke und schlief sofort ein. So tief wie sonst nie. Ich hatte einen sehr leichten Schlaf, und schon das geringste Geräusch konnte mich wecken; aber jetzt versank ich im Reich der Träume – mitten im Getriebe und im Lärm des Zagreber Flughafens. Heute frage ich mich, ob das Geheimnis meines tiefen Schlafs damals nicht in dem Gefühl der Geborgenheit lag, das mir Samo gegeben hatte.

3

Ich erhielt einen Brief von Samo, der mit den Worten endete: »Du brauchst nur nach mir zu rufen, und schon bin ich bei Dir.«

Sein Brief wärmte mein Herz. Ich dachte mit Zuneigung an Samo, aber das war nicht die Liebe, nach der ich mich sehnte. Liebe, so dachte ich damals, müßte überwältigend sein, ein Gefühl, als stündest du auf dem Gipfel eines Berges, könntest nach den Sternen greifen und die Erde unter dir zurücklassen. Liebe würde zwei Menschen die gleichen Gedanken denken und im gleichen Rhythmus atmen lassen. Ich war besessen von diesem Traum, aber ich behielt ihn für mich. Es war nicht die Zeit, in der man mit anderen über solche Träume redete. Es war eine Zeit des Aufruhrs, eine Zeit des Wandels und der ernsten Diskussionen. Es war die Zeit, in der die Studenten zu Propheten werden wollten. Der Gesellschaft sollte die Wahrheit gezeigt und die Welt verbessert werden. Schluß sollte sein mit all den alten Geschichten, auch mit der Liebe, der romantischen Liebe. Denn diese Geschichten, so schien es, steckten voller Lügen, sie wurden verdächtigt, die Welt so zu erhalten, wie sie war, nämlich voller Unrecht und Verlogenheit. Die Liebe war entlarvt, vom Thron gestürzt, vom Himmel auf die Erde zurückgeholt worden. Sie sollte etwas Alltägliches sein, das man brauchte, war eher Kameradschaft, die auf gemeinsamen Idealen, auf gemeinsamem Kampf beruhte. Und es war die Zeit der Kämpfe. Überall in der

Welt. Es war die Zeit, in der die Gewalt eindrang ins Leben der Studenten, auch in Istanbul.

Im Park wurde man immer wieder durch Schüsse überrascht, die durch die Luft peitschten, Fenster und Türen wurden eingetreten, die Flure, die Treppen waren blutverschmiert, und viele Studenten wurden in Kranken- oder Polizeiwagen fortgeschafft.

Eines Morgens wurden zwei Studenten erschossen, mitten auf einer belebten Straße in Sisli, einem Viertel mit modernen Bauten und schicken Läden. In einem dieser Gebäude hatte die rechtsradikale Gruppe der ›Grauen Wölfe‹ ihre Zentrale, und die Mörder gehörten dieser Gruppe an. Sie flüchteten in einem Auto, und die Polizei unternahm nichts, um ihre Verfolgung aufzunehmen. Passanten, die Zeugen des Verbrechens geworden waren, gingen aus Angst, in das Ganze verwickelt zu werden, eilig weiter.

Noch in derselben Nacht besetzten einige Studenten das Gebäude der Istanbuler Universität.

Am nächsten Morgen nahm mich meine Freundin Aylin mit dorthin. Sie ging voller Begeisterung zu den Versammlungen der Revolutionäre. Es wäre ihr fast wie Verrat erschienen, wenn sie nicht dorthin gegangen wäre. Aylin war klein und zierlich, aber ihr schönes Gesicht mit den großen blauen Augen strahlte Ernsthaftigkeit, Willenskraft und Entschlossenheit aus. Stets trug sie Jeans, niemals hochhackige Schuhe, und sie sprach mit einer gleichförmigen, tiefen Stimme. Regelmäßig, fast mechanisch entströmten die Worte ihrem kleinen Mund. Mich hatte sie in Verdacht, nicht wirklich mit vollem Herzen bei den Kämpfen dabeizusein. Und sie hatte recht. Ich war etwas verträumt, mochte lange ziellose Spaziergänge und Bücher mit erregenden Liebesgeschichten. Stunden und Stunden konnte ich mit mir allein verbringen und gedankenverloren das Meer, den Himmel oder die Berge betrachten. Diese Sehnsucht nach Einsamkeit und Stille war mir selbst nicht ganz geheuer. Mein Verhalten erschien mir wie ein Luxus in einer Gesellschaft, in der ich doch aufgehen sollte, mich auflösen, mit ihr verschmelzen... In einer Gesellschaft, in der man schlecht Geheimnisse hüten und bewahren konnte, deren Regeln zu beachten waren.

Es war, als schwebte ein riesiges, drückend schweres Wesen über uns, das alles, was wir unternommen und gedacht haben, überwachte. Alles in mir rebellierte zunehmend gegen diesen ungeheuren Körper, gegen den ungeheuren Aufseher. Nur Revolution, eine zornige Revolution versprach Befreiung von diesem Monstrum. Damals wußte ich noch nicht, daß ich mich wiederum entfremdet fühlen würde, sobald ich mich der revolutionären Bewegung anschließen würde, denn auch die Studenten erwarteten, daß jede und jeder sich wieder wie ein Teil des ungeheuren Körpers verhalten sollte, nur daß der Körper diesmal ›revolutionäre Bewegung‹ hieß. Schmerzlich fühlte ich meine Unfähigkeit, mich einer Gesellschaft oder einer Revolution rückhaltlos hinzugeben. Ich wollte unbedingt dabeisein, aber ich konnte nicht. Daß die Gesellschaft verändert werden mußte, davon war ich überzeugt, aber ich sehnte mich auch nach einem tieferen Wandel; ich wollte mehr als gesellschaftliche Wahrheit, mehr als Politik. Ich suchte mich. Mich selber. Und wenn ich heute zurückschaue, sehe ich, daß ich damals nach einer inneren Stimme suchte, nach einem kosmischen Bewußtsein, wie ich es heute vielleicht nennen würde.

In der überfüllten Aula der Istanbuler Universität konnten wir kaum noch Plätze finden. Der große Saal mit der hohen Decke bebte von den Rufen und Sprechchören. Plakate und Transparente hingen von den Wänden, wurden emporgehalten. Zu sehen waren die Photos und die Namen der beiden Opfer.

Auf der Bühne stand ein schlanker junger Mann in grünem Parka und Armeestiefeln. Während er in ein Mikrophon schrie, gestikulierte er mit Händen und Armen.

»...und ich sage euch, Genossen, auch diese Angriffe werden unseren Kampf nicht aufhalten können.«

»Das ist einer der Führer des Revolutionären Jugendverbandes«, flüsterte mir Aylin zu.

Als er seine pathetische Rede zu Ende gebracht hatte, hob er die Faust, und die Menschenmenge antwortete mit Sprechchören.

Als zweiter sprach ein junger, gedrungener Mann. Er hatte keine Arme.

»Er hat seine Arme verloren, als er eine Bombe bastelte«, erklärte Aylin. Ich war erschrocken und überwältigt. Mit brennenden Blicken aus seinen dunklen Augen fixierte er die Zuhörer, sein Ton war sehr feierlich.

»Die rückschrittlichen Kräfte und die imperialistischen Kräfte, die zusammenarbeiten, um unsere Bewegung zu zerschlagen, sind Papiertiger. Wir aber werden siegen, weil wir die Träger der Wahrheit sind.«

Seine Rede hatte die Atmosphäre in der Aula angeheizt,

die Erregung der Zuhörer stieg. Er sagte, der lang herbeigesehnte Tag sei gekommen, und er rief: »Die Revolution ist der einzige Weg!« Die Menschenmenge wiederholte seine Worte im Sprechchor. Aus irgendeinem Grund brachte ich es nicht über mich, in den Chor einzufallen. Ich fühlte mich der Situation nicht gewachsen, fühlte mich wie eine Amateurin unter lauter Professionellen, denen ihr Ziel klar vor Augen stand. Nachdenklich betrachtete ich Aylin, die mit der Menge die Internationale anstimmte. Ich hätte gerne mitgesungen.

An diesem Vormittag durchquerte der längste Begräbniszug, den man je in Istanbul gesehen hatte, die Stadt von einem Ende zum anderen. Junge Männer und Frauen liefen Arm in Arm. Das war neu in unserer Gesellschaft, die bis vor fünfzig Jahren Frauen hinter Schleiern und zugezogenen Vorhängen versteckt hatte. Jetzt liefen wir Arm in Arm mit Fremden. Aber weil die Revolution von uns verlangte, daß wir einander als Brüder und Schwestern und nicht als Frauen und Männer begegneten, trugen wir Kleider, unter denen unsere Körper verschwanden und die die Unterschiede zwischen den Geschlechtern verwischten. Unter den gebildeteren Genossen gab es einige, die jene ernste Gemeinschaft mit der sexuellen Revolution beglükken wollten. Sex, sagten sie, sei so natürlich wie Essen. Aber die Mehrheit wollte dieser Lektion nicht folgen. Die Mehrheit war der Meinung, das würde uns in den Augen unseres Volkes, unseres islamischen Volkes, nur in Verruf bringen und es daran hindern, sich unserer Revolution anzuschließen, die es doch befreien sollte. Dennoch schien es Spannungen zwischen dem islamischen Volk und den Revolutionären zu geben. Das hatte sich bei der Demonstration am ›Blutsonntag‹ gezeigt. Sie war gegen die Sechste Flotte der Amerikaner gerichtet, die, um ihre Macht zur Schau zu stellen, vor dem Dolmabahçe Palast am Bosporus Anker geworfen hatte. Als die Demonstrierenden den Taksim-Platz erreichten, wurden sie von einer Gruppe von Männern mit Vollbärten und Gebetskäppchen angegriffen, die, den Namen Allahs rufend, mit Messern, Stahlstangen und Steinen auf die Demonstranten losgingen. Die Männer hatten sich in einer Moschee in der Nähe des Platzes gesammelt. Sie hatten dort gebetet, bevor sie zum Platz zogen, über den die demonstrierenden Studenten ihre Spruchbänder trugen mit der Parole: »Sixth Fleet go home!« Die Männer, die aus der Moschee kamen, waren voller Haß auf die Studenten. »Verräter der Nation!« schrieen sie und: »Feinde des Islam!« Sie griffen die Studenten an, und viel Blut wurde vergossen. Was war das für ein seltsames Bündnis. Ein Bündnis zwischen der Sechsten Flotte der Amerikaner und diesen fanatischen Muslimen. Wo lagen deren gemeinsame Interessen?

Dennoch, der ›Blutsonntag‹ war der Beginn der militanten islamischen Bewegung. In meiner Kindheit wurde die Religion mit geflüstertem Gebet in der Moschee ausgeübt, wo die Menschen einander friedfertig und vertraut begegneten und der Hoca über Hilfsbereitschaft und Mitleid predigte. Das Gesicht dieser Religion hat sich am ›Blutsonntag‹ verwandelt. Der Name Allahs, der bis dahin mit Sanftmut und Ergriffenheit angerufen wurde, ertönte nun in gewalttätigem Geschrei. Dem ›Blutsonntag‹ folgte die Gründung einer religiösen Partei, die ihre militanten Jugendverbände in Lagern ausbildete.

Es war ein Tag im Frühsommer, und vom Meer her wehte ein leichter Wind, er trug den Geruch von Salz und Staub zu uns. Wir passierten enge, steile Gassen mit heruntergekommenen Holzhäusern und breite Straßen mit hohen Betonbauten. Manche Menschen verließen schnell die Straße, andere wiederum, schmuddelig gekleidete Männer mit den typischen Bauernmützen lächelten und klatschten Beifall. Das begeisterte die Marschierenden und sie riefen: »Arbeiter und Bauern, reiht euch ein!« Manche taten es auch und wurden enthusiastisch begrüßt.

Nicht nur junge Männer, auch junge Frauen gingen außen an unserem Zug entlang, um die Demonstrierenden vor Angriffen zu schützen. Ein Mädchen, schlank und selbstbewußt, rief: »Genossen, laßt euch nicht provozieren!« Aylin photographierte ununterbrochen. Und ich hatte meine Hemmungen überwunden und war wie eine Zelle in einem großen Körper geworden, der sich trotzig auf sein Ziel zu bewegte.

Wir gelangten in ein Arbeiterviertel. In das Viertel Koca Mustafa Pascha. Frauen mit Kopftüchern und weiten Hosen winkten uns zu. Männer mit Bauernmützen reckten die Faust. Kinder klatschten. Solche Unterstützung munterte die Studenten auf, wieder erschollen die Sprechchöre: »Arbeiter und Bauern, reiht euch ein! Nur Revolution ist der Weg! Nur Revolution ist der Weg!«

Wir konnten Polizeiautos beiderseits der Straße sehen, aber die Menge, überwältigt von ihrem riesigen Körper und ihrer kraftvollen Stimme, kümmerte sich nicht darum.

In einer schmalen, mit Kopfsteinen gepflasterten Gasse, die gesäumt war von winzigen, heruntergekommenen Häusern, endete der Demonstrationszug. Die Leichen der beiden Studenten waren schon im Hof einer Moschee aufgebahrt worden, bewacht von einer Gruppe der Arbeiterpartei. Ihre Anführerin, eine zähe Frau um die Sechzig, wollte gerade eine Rede halten. Aber die Studenten, angeführt vom ›Revolutionären Jugendverband‹, warfen der Arbeiterpartei Opportunismus vor. Die Studenten lehnten die religiösen Riten ab und wollten die Leichen aus der Moschee holen und zum Friedhof tragen.

Wir standen in der langen, schmalen und völlig verstopften Gasse und warteten, waren erschöpft, aber auch zufrieden mit der erfolgreich verlaufenen Demonstration. Dann verbreitete sich die Nachricht, daß sich der Vater von einem der ermordeten Studenten bei der Polizei beschwert habe; das Begräbnis seines Sohns solle allein nach muslimischen Riten vollzogen werden.

Große Spannung lag in der Luft. Die Menge wartete. Plötzlich fiel ein Schuß, dann noch einer, dann ratterten die Schüsse in rascher Folge. Die Menschen an der Spitze des Zugs liefen auseinander, und die Menge wurde von einer Woge von Verwirrung und Panik überrollt. Die Menschen zerstreuten sich, suchten Zuflucht. Zwischen der Polizei und einigen Militanten hatte eine Schlacht begonnen. Beide Seiten hatten Schußwaffen. Die Gasse hallte wider von Rufen und Geschrei. »Lauft nicht auseinander! Lauft nicht auseinander! Nur Revolution ist der Weg!« Überall Blut... Autoscheiben, Fensterscheiben splitterten, viele Gesichter waren blutüberströmt. Die Polizei hetzte die Studenten in Gruppen durch die Seitengassen, schlug mit Stöcken auf sie ein, zerrte sie in Polizeiwagen mit vergitterten Fenstern.

Ich suchte Zuflucht auf der Eingangstreppe eines winzigen Hauses, in der Hoffnung, so der Aufmerksamkeit der

Polizei zu entgehen. Zwei Frauen in Baumwollkleidern und Pantoffeln standen neben mir, verfolgten die Straßenschlacht, murmelten: »Um Gottes willen, um Gottes willen…« Sie wußten, daß ich zu den Demonstranten gehörte, aber sie behandelten mich wie eine Nachbarin. Sie hätten mich in ihr Haus hineingelassen, falls ich es gewollt hätte. Aber ich blieb draußen, gebannt von dem gewalttätigen Geschehen. Ich konnte kaum glauben, was sich vor meinen Augen abspielte. Meine Blicke suchten Aylin. Vergeblich. Erst viel später sollte ich erfahren, daß sie verwundet worden war und einige Demonstranten sie zum Krankenhaus gebracht hatten; auch, daß ihre Kamera der Polizei nicht in die Hände gefallen war.

Ich verließ meine Zuflucht und suchte einen Weg, vorbei an Scherbenhaufen, Blutlachen, Patronenhülsen und den Wagen der Polizei. In der Luft lag der säuerlich scharfe Pulverdampf. Ich haßte die Polizei und ich verstand die Revolution nicht. Die Polizisten, deren Funkgeräte und Telephone, deren Pistolen und automatische Waffen ich sehen konnte, starrten mich an, als ich, wie eine Schlafwandlerin, alleine den Platz überquerte. Vielleicht dachten sie, ich sei eine junge Frau aus dem Viertel.

Ich betrat ein Teehaus, stieg hinauf in den zweiten Stock, in einen großen Raum mit nackten Betonwänden, voller rauhbeiniger Männer. Zu ihrer Überraschung gesellte ich mich zu ihnen ans Fenster und schaute hinunter auf die blutverspritzte Gasse. Eine Gruppe von Studenten versuchte gerade, ein Auto umzustürzen. Ein gedrungener Mann um die Vierzig schrie, flehte sie an, damit aufzuhören. »Es ist mein Auto! Ich habe es gerade gekauft!« Die Studenten, manche von ihnen blutverschmiert, ließen plötzlich ab von seinem Auto und liefen zu einem Lieferwagen, der mit Apfelsinen beladen war. Sie kippten den Wagen um. Dann sah ich, wie einer von ihnen eine Apfelsine aufhob, sie schälte und aß. Dieses Bild hat sich mir tief eingeprägt.

Dann standen sie hinter dem Laster, benutzten ihn als Barrikade und schossen auf einen heranfahrenden Panzerwagen. Nach einer Zeit wurde die Barrikade beiseite geschoben. Eine Gruppe von Männern stand untergehakt und bildete eine weitere Barriere. Sie standen direkt vor dem Panzerwagen und schrieen immer wieder: »Nur Revolution ist der Weg!« Langsam und heimtückisch schob sich der Wagen voran. Und fuhr hinein in die Mauer aus Menschen. Einige fielen blutend zu Boden, andere warfen sich zur Seite.

Nach einer Weile war die Gasse menschenleer, nur die Polizisten mit ihren Gewehren und Walkie-talkies patrouillierten auf und ab.

Eine Gruppe Demonstranten stürmte hastig ins Teehaus. Ich erwiderte ihren Gruß. Voller Unruhe tranken sie ihren Tee und unterhielten sich flüsternd. Ich folgte ihnen, als sie das Teehaus verließen. Wir gingen hinaus, überquerten einzeln die Straße und sammelten uns wieder in einer Nebengasse. Einer sagte, die verbliebenen Demonstranten würden sich neu gruppieren. Er wußte den Treffpunkt.

Unsere Gruppe vereinigte sich mit einer anderen auf dem Bürgersteig einer Brücke über eine Schnellstraße. Der Verkehr rauschte unter uns, und die Brücke war voller Polizisten, die kugelsichere Westen trugen und ihre automatischen Waffen auf uns richteten. Die Studenten in der vordersten Reihe riefen ihre Parolen, forderten die Zuschauenden auf, sich einzureihen in den Kampf gegen die ›faschistische Polizei‹.

Plötzlich erschien ein Oberst auf der Brücke und ging hinüber zu den Polizisten. Er sprach kurz mit ihnen. Dann nahm er ein Megaphon und sprach zu uns. »Kehrt um und geht nach Hause, sonst wird die Polizei auf euch schießen. Seid vernünftig und geht...«

Plötzlich hatte ich das Gefühl, aus einem Traum zu erwachen. Ich machte mich allein davon und wußte nicht, wohin ich gehen sollte.

4

Ich sehe mich in dem klapprigen Bus sitzen, der durch winzige anatolische Dörfer fährt und an Baumwoll- und Sonnenblumenfeldern vorbei. Ich bin Lehrerin, und als Stelle ist mir die Schule eines kleinen entlegenen Dorfes namens Terebe zugewiesen worden.

Kurz vor Ende des letzten Semesters hatte das Militär an der Hochschule eine Razzia durchgeführt, mitten in der Nacht. Alle Studentinnen mußten die Schlafräume verlassen, unsere Betten und Schränke sollten durchsucht werden. Eine nach der anderen wurden wir von Offizieren im Zimmer des Direktors verhört. Ich war nicht unter den Studentinnen, die in jener Nacht noch im Nachthemd vom Militär verschleppt wurden, aber ich war unter denen, die nach ihrem Abschlußsemester in entlegene Dörfer verbannt wurden.

Während jener Reise mit dem klapprigen, schmuddeligen Bus dachte ich an die Liebe. Aber die Liebe schien mir sehr weit von der Wirklichkeit entfernt zu sein, in der ich nun leben sollte. In ein entlegenes Dorf werde ich geschickt, soll dort Kinder erziehen. Aber ich würde auch die Bauern aufklären. Ich wollte wie der Lehrer sein, der in dem Roman *Unser Dorf* beschrieben wird. Ein Held, der gegen skrupellose Großgrundbesitzer und rückständige Traditionen ankämpfen muß und den Bauern sagt, daß sie ausgebeutet werden.

Als ich in der kleinen Stadt ankam, war es bereits dunkel geworden. Zum Dorf waren es noch einmal siebzig Kilometer, und der einzige Bus dorthin war schon abgefahren.

An diesem Abend, in jener kleinen verschlafenen Stadt lernte ich, Stärke zu zeigen. Ich setzte eine entschlossene, resolute Miene auf. Ja, an diesem Abend kam ich mir selbst wie eine Heldin vor, war ich doch die einzige Frau auf dem Hauptplatz der Stadt.

Nur im Kaffeehaus würde man mir sagen können, wie ich nach Terebe gelangen könnte. Die Gesichter der Männer mit den Bauernmützen, die an Wasserpfeifen zogen oder ihre Zigaretten aus billigem Tabak selbst drehten, wandten sich mir alle gleichzeitig zu.

»Guten Abend. Ich bin die Lehrerin«, sagte ich. Meine Stimme wurde tiefer und klang wie die einer gestandenen Frau.

Das Wort ›Lehrerin‹ hatte eine magische Wirkung auf die Männer im Café. Sofort wurde mir ein Stuhl angeboten und ein Glas dampfenden Tees gebracht. Ein junger Mann bot mir von seinem Tabak an. Eine Weile lang herrschte Stille. Dann diskutierten die Männer unter sich, wo sich der einzige Taxifahrer der Stadt wohl aufhalten könnte. Der Kaffeehausbesitzer schickte den halbwüchsigen Kellner zum Haus des Fahrers. Und nach dreißig Minuten stand das Taxi für mich vor der Tür.

Ich hob die Hand und sagte den Männern im Café mit energischer Stimme: »Auf Wiedersehen. Besten Dank.«

»Auf Wiedersehen, Frau Lehrerin.«

Der Taxifahrer sah aus wie ein Filmganove. Es war sicherlich das erste Mal in seinem Leben, daß er eine alleinreisende Frau so lange durch die Nacht zu fahren hatte. Es war stockfinster, die unbefestigte Straße wand sich in Serpentinen in die Berge. Kein Wagen begegnete uns. Ich war erschöpft, und mir war übel. Heute, mit meinen dreiundvierzig Jahren, da bin ich mir sicher, hätte ich den Mut nicht mehr zu einer solchen Fahrt, obwohl ich doch seither so viel gereist bin. Damals war mein Mut rein, unschuldig.

»Haben Sie denn niemanden, der Sie hätte begleiten können?« fragte der Taxifahrer ziemlich unverblümt und starrte mich im Spiegel an. Einen Augenblick lang schwieg ich verwirrt, dann griff ich zu einer Lüge:

»Mein Mann konnte nicht mitfahren. Er ist Journalist und muß über ein sehr wichtiges Ereignis berichten. Ich werde ihn anrufen, sobald ich im Dorf ankomme.«

Er stellte keine Fragen mehr. Es herrschte eine gespannte Stille. Wir schauten beide in die dunklen, furchterregenden Schatten der Berge.

Endlich tauchten ein paar schwache Lichter auf: das Dorf. Als wir auf dem kleinen Dorfplatz ankamen, sagte er sarkastisch: »Nicht gerade der richtige Ort für eine feine Dame wie Sie.«

Er brachte mich zum Haus des Schulleiters. Das Haus war klein, und es war warm darin, und die Zimmer rochen nach Tabak. Tabakblätter hingen, auf Fäden gereiht, in einer Ecke der Küche. Der Schulleiter und seine Frau wollten, so schien es, mir alles anbieten, was sie hatten, und auch noch das, was sie nicht hatten. Die Frau stammte aus der Umgebung, hatte ein rundes Gesicht und breite Hüften, die in den weiten geblümten Hosen versteckt waren. Immer wieder lächelte sie mir zu, als wolle sie so die Kluft zwischen ihr und einer gebildeten jungen Frau aus der Stadt überbrücken, die ja nicht nur eine Frau war, sondern auch Lehrerin und damit eine ähnliche Stellung einnahm wie ihr Mann.

Ich fragte die beiden, ob ich im Dorf ein Haus mieten könne. Sie lachten und sagten, hier gäbe es keine Wohnungen zu mieten. Das Dorf habe nur vierhundert Einwohner, und alle wohnten im eigenen Haus.

»Und wie soll ich hier leben, wenn ich keine eigene Bleibe finden kann?« fragte ich.

Der Schuldirektor blickte seine Frau an, als könne er sich mit ihr in einer Sprache beraten, die keiner Worte bedurfte.

»Sie können bei uns wohnen.«

Sie hatten nur drei winzige Zimmer. Wir saßen um einen hölzernen Tisch und aßen selbstgebackenes Brot, eine dicke Linsensuppe und cremiges Yoghurt.

Plötzlich, nachdem er mich lange Zeit beobachtet hatte, wagte ihr kleiner Sohn, mich anzusprechen. Mit glänzenden Augen fragte er mich, ob ich ihm sagen könne, wie schnell das Licht sei.

»Kann ich dir nicht sagen«, antwortete ich.

»Aber ich weiß es«, sagte er.

Nach einer Weile fragte er mich, ob ich die Namen der neun Planeten kenne.

»Nun rede nicht immer so einen Blödsinn«, sagte seine Mutter, die wohl fürchtete, es sei mir peinlich, wenn ich, eine Lehrerin, die Fragen eines Siebenjährigen nicht beantworten konnte.

»Er interessiert sich für Astronomie«, sagte der Schulleiter und lächelte. »Manchmal, wenn ich ihn ins Kaffeehaus mitnehme, stellt er den alten Männern dort die gleichen Fragen.«

»Und woher weiß er das alles?« fragte ich.

»Ich habe es ihm beigebracht«, sagte er und strich dem Buben über den Kopf. Er fügte hinzu: »Wenn ich das nächste Mal nach Istanbul fahre, werde ich ihm ein Fernrohr kaufen.«

»Genau das, was diesem Haushalt fehlt«, sagte die Frau und kicherte.

Die Strapazen der langen Reise waren vergessen, als ich auf dem einfachen Diwan saß und mich in das dicke Kissen schmiegte, eintauchte in den Duft von Holz, Tee und Tabak.

Sie bestanden darauf, daß ich in ihrem Zimmer schlief, in dem großen Bett mit dem Messinggestell, bestickten Kissen und Überzug. Sie legten sich zum Schlafen auf eine Matratze im Wohnzimmer, der Junge schlief auf dem Diwan.

Mit der Erinnerung an dieses kühle Bett, das nach Baumwolle und Olivenölseife roch, verbinde ich noch heute ein Gefühl von Dankbarkeit. In dieser Nacht habe ich an Samo gedacht. Von weitem hörte ich einen Schakal heulen und ich hörte den Wind. Ich sehnte mich nach der Nähe, die sich mit Samo so leicht und schnell eingestellt hatte.

Am Morgen ging ich das Dorf erkunden. Es lag in einer Ebene und hatte die Form eines Bandes. Die Häuser waren klein, weiß getüncht, hatten Strohdächer und winzige Höfe. Hühner, Katzen, Hunde, Tauben und Kinder trieben sich zwischen den Häusern herum. Das ununterbrochene Gegacker, Gequieke und Gebell mischte sich zu einer murmelnden Kulisse für das bedächtige Geschehen des Alltags. Das Dorf war durch eine kopfsteingepflasterte Straße zweigeteilt. Es gab einen Krämerladen, einen Barbier und zwei winzige Teehäuser, die den Männern vorbehalten waren. Als ich durch die einzige Straße wanderte, konnte ich fühlen, wie mich alle anschauten: die Männer mit ihren Bauernmützen, die im Kaffeehaus saßen, die Frauen, die mit ihren weiten geblümten Hosen und den großen gelben Kopftüchern in den Türen standen, die Kinder, die mit Blechkisten oder selbstgebastelten Puppen spielten. Alle starrten mich an, als sei ich ein Mannequin auf dem Laufsteg.

Sie hatten gehört, daß eine Frau aus Istanbul in ihr Dorf geschickt werden sollte. Eine Lehrerin. Sie waren sich nicht sicher, wie sie mich behandeln sollten, als Respektsperson oder als Frau von zweifelhaftem Ruf. Wie sie mich nun das erste Mal sahen, eine zierliche junge Frau mit einem freundlichen Wesen, hatten sie das Gefühl, ich sei keins von beiden. Sie schienen mir die Privilegien eines

Mädchens aus der Stadt zuzugestehen, nahmen meine unkonventionelle Kleidung hin und störten sich auch nicht daran, daß ich Zeit genug hatte, öfter als zweimal am Tag die Straße entlangzugehen. Aber ich spürte, mit welchem Mißtrauen sie beobachteten, wenn ich allein mit den Männern sprach oder lachte. Und tatsächlich konnte ich in den sonnengegerbten Gesichtern der Frauen beides sehen, wie herzlich und großzügig sie waren und wie starr in ihrer Moral. Dennoch, es dauerte nicht lange, und ich war in ihrer Welt aufgenommen. Sie umarmten mich, luden mich in ihre Häuser ein, boten mir Tee und selbstgebackenen Kuchen an. Immer wieder fragten sie nach meiner Familie. Sie zogen mich auf: ich müsse mich beeilen, wenn ich noch einen Mann und Kinder haben wolle. Wenn sie mit der Hausarbeit fertig waren und auch die Arbeit auf den Feldern getan war, hatten die Frauen Zeit, einander zu besuchen und über die Männer oder die Kinder zu sprechen und sich zu necken.

Einsamkeit war ein unbekanntes Wort in der Sprache der Dorfbewohner. Sie kannten einander von der Geburt bis zum Grab, doch war nicht zu erkennen, ob sie sich als Freunde nahestanden oder nicht, ja nicht einmal, ob sie die anderen mochten. Vielleicht machte der Umstand, daß sie sich bis zu ihrem Tod unausweichlich jeden Tag sahen, solche Gefühle überflüssig. Auch die Religion schien ihnen etwas Selbstverständliches zu sein, ein alltägliches Ritual, ein Hort der Sitten. Im Dorf hatte niemand Angst vor dem Leben und auch nicht vor dem Tod. Sie waren mit der Erde vertraut und fürchteten sich nicht davor, in ihr begraben zu werden.

Ich war im Spätsommer gekommen. Jeden Nachmittag lag das Dorf still und ausgestorben unter der brennenden Sonne Anatoliens. Erst am Abend setzte das dörfliche Treiben wieder ein.

Die Hauptbeschäftigung der Männer schien es zu sein, im Teehaus zu sitzen, selbstgetrockneten Tabak zu rauchen, bitteren Tee zu trinken, Geschichten zu erzählen, hin und wieder auch ernsthafte Angelegenheiten zu debattieren: die Beschaffenheit des Bodens etwa oder die Sonnenblumenernte, den Markt oder die Verwaltung. Sie liebten es, über Politiker oder den Premierminister zu reden, und dabei schauten sie wichtigtuerisch in die Runde; wenn sie über Politik sprachen, dann fühlten sie sich wie wirkliche Männer und vergaßen, wie bedeutungslos ihr Leben in diesem abgelegenen und vergessenen Dorf verlief. Im Teehaus fanden die Männer eine Bühne, auf der sie sich darstellen konnten. Die Frauen blieben hinter den Kulissen, führten den Haushalt, sorgten sich um die Kinder. Nur auf den Feldern kamen Männer und Frauen zusammen, und dort bei der Arbeit waren sie gleich. Wenn sie allerdings zum Markt fuhren, um ihre Erzeugnisse zu verkaufen und das Notwendigste einzukaufen, dann erlangten die Männer wieder die Oberhand. Die meisten von ihnen waren hagere zähe Gestalten, ihre Kleider waren abgewetzt, sie trugen immer ihre Bauernmützen. Das Dorf war arm. Sie lebten von dem, was auf ihren Feldern wuchs: Tabak, Sonnenblumenkerne und Mais, die sie an einen Zwischenhändler aus der Stadt verkauften, der ihnen Geld lieh, zu hohen Zinssätzen, und im Gegenzug ihre Erzeugnisse zu möglichst niedrigen Preisen abnahm.

Ich mühte mich, ihnen klarzumachen, daß sie sich dem Zwischenhändler nicht ausliefern dürften, daß sie besser eine Kooperative gründen und sich wechselseitig unterstützen sollten. Dann könnten sie für ihre Waren höhere Preise erzielen. Ja, ich wollte sie aufklären und ihnen die Wahrheit, die ich aus Büchern kannte, nahebringen. Ich wollte sie auch davon überzeugen, daß Männer und Frauen gleichgestellt werden sollten, daß die Frauen neben den Männern im Teehaus sitzen dürften. Ich war voller Ungeduld und wollte das Dorfleben verändern, wollte dort eine Revolution auslösen – wenn sie mir nur zugehört hätten. Aber das taten sie nicht. Statt dessen behandelten sie mich wie ein unerfahrenes Mädchen, das sie beschützen wollten, dem sie zeigen mußten, wie man Brot backt und wie man stickt.

Und so konnte ich nichts anderes tun, als ihren Kindern Englisch beizubringen. Die Jungen und Mädchen kicherten, als ich »Good morning« sagte, aber schnell wurden sie wieder ernst; kerzengerade saßen sie in ihren schwarzen Uniformen mit weißen, steifgestärkten Kragen, legten die Hände vor sich auf den Tisch. Da sie keine Schulbücher hatten, fing ich an mit einem einfachen Lied. Ich stand vor ihnen und erklärte ihnen die Bedeutung der Wörter mit Händen und Füßen.

»Hickory dickory dock
The mouse ran up the clock.
The clock struck one,
The mouse ran down.
Hickory dickory dock.«

Wieder begannen die Kinder zu kichern. Dann brachen sie in lautes Gelächter aus. Ich sang das Liedchen, sang und gestikulierte, immer wieder, bis sie es auswendig kannten.

Dann sangen wir das Lied gemeinsam. Und danach hörte man überall im Dorf dieses kleine Lied, sogar auf den Tabakfeldern. Das war mein einziger Beitrag zum Dorfleben.

Nach zwei Wochen fühlte ich mich im Dorf eingesperrt. Wie ich mich danach sehnte, aus dem Dorf herauszukommen, wenigstens durch die Sonnenblumenfelder in den pfirsichfarbenen Abend hinauszuschlendern. Ich fühlte mich einsam. Ich sehnte mich nach Liebe, nach Freunden.

Nach sechs Wochen entschloß ich mich, in die Stadt zurückzukehren. Beim Arzt in der Provinzstadt besorgte ich mir ein Attest und fuhr zurück nach Istanbul, wo ich eine andere Stelle suchen wollte und sich meine Träume vielleicht erfüllen würden...

5

In Istanbul wohnte ich bei Aylin. Ich sehe uns noch in der winzigen Küche sitzen und Rühreier essen. Aylin hat immer nur einfache Gerichte gekocht, denn sie wollte keine Zeit verschwenden, und da sie stark werden wollte, gab es eine Menge Eier mit Wurst.

Zu jener Zeit hatte sie eine Teilzeitstelle bei einer Zeitung. Eines Morgens, als sie für einen Bericht über einen Streik in einer Fabrik außerhalb von Istanbul zu recherchieren hatte, habe ich sie begleitet. Beide trugen wir Jeans und flache Schuhe. Es war ein kalter Morgen. Wir mußten lange laufen vom Bahnhof bis hinaus zu dem ausgedörrten Gelände, auf dem die riesige Fabrik stand. In einem Zelt, das vor den Fabriktoren aufgeschlagen war, suchten die

Arbeiter Schutz vor der Sonne. Sie feierten ihren Streik mit Trommeln und traditionellen Tänzen, die Tänzer, die einander untergehakt hatten, bildeten einen Kreis. Selbstbewußt betrat Aylin das Zelt; die große schwarze Tasche mit Kamera und Tonbandgerät hatte sie umgehängt. Ich folgte ihr.

»Guten Morgen, Genossen«, rief sie. Die Arbeiter hielten inne und schauten uns verblüfft entgegen.

»Ich möchte ein Interview machen, über Euren Streik«, sagte Aylin und stellte sich vor.

Die Männer kamen auf uns zu, und alle begrüßten uns mit Handschlag.

»Sei gegrüßt, Schwester, sei gegrüßt«, sagte jeder mit großem Ernst.

»Tee für die Schwestern!« rief der Mann mit dem dichten schwarzen Schnauzer und den scharf geschnittenen Gesichtszügen; er schien der Gewerkschaftsfunktionär zu sein.

»Wollt ihr nicht mit uns frühstücken?« fragte er und deutete auf den kleinen Holztisch in einer Ecke, der mit Käse, Tomaten und Oliven gedeckt war.

»Nein, danke. Wir haben gerade gefrühstückt«, sagte Aylin bestimmt.

Der Mann wiederholte seine Einladung, Aylin lehnte noch einmal ab. Dann bat er einen der Männer, drei Stühle zu holen. Aylin stellte ihr Tonbandgerät auf einen Hocker. Voller Nervosität setzte ich mich neben sie; ich spürte die Blicke der Arbeiter auf mir ruhen. Sie umringten uns mit unverhohlener Neugierde und wurden erst still, als Aylin das Tonbandgerät einschaltete.

»Könnten Sie mir den Anlaß für Ihren Streik sagen?« fragte sie, wie eine Lehrerin.

»Ja. Natürlich. Wir, die Arbeiter von *Tan Eisen und Stahl*, wir glauben, daß wir von Mehmet Kodaman, dem Fabrikbesitzer, ausgebeutet werden. Er erzielt große Profite, weil er seinen Arbeitern die niedrigsten Löhne zahlt...«

Aylin unterbrach den Gewerkschaftsfunktionär und begann auf ihn einzureden. Sie hielt eine richtige Rede für ihn und alle, die um uns herumstanden. Sie wollte den Arbeitern erklären, wie Fabrikbesitzer große Gewinne erzielen. Dazu gebrauchte sie Worte wie Mehrwert und Tauschwert. Ihrer Rede gab sie den formelhaften Schluß, daß die Arbeiter nicht dabei stehenbleiben dürften, für mehr Lohn zu kämpfen, sie müßten vielmehr den ganzen Unterbau umwälzen. Ich konnte verfolgen, wie die Arbeiter immer gelangweilter vor sich hin schauten, sie waren seltsam berührt, vielleicht auch belustigt über diese schöne kleine Frau, die so energisch und in so unverständlichen Wörtern zu ihnen sprach.

Als wir das Zelt verließen, fragte ich Aylin, warum sie so komplizierte Begriffe benutzt habe.

»Wir müssen die Arbeiterklasse bilden«, sagte sie, »wir müssen sie an die marxistische Theorie heranführen.«

»Meinst Du, sie werden sie annehmen?« fragte ich.

»Vielleicht nicht sofort, aber im Lauf der Zeit«, antwortete sie.

Ich lebte eine Woche bei Aylin und begab mich jeden Tag auf Arbeitssuche. Ich fand eine Schule, die mich nehmen wollte, aber nur mit einem Zeitvertrag für die Sommerkurse. Bis dahin hätte ich noch sechs Monate warten müssen. Ich geriet in Panik, denn ich hatte kaum noch Geld übrig. Und die Stadt wurde immer gefährlicher. Politische Morde und Bombenanschläge während der Nacht, wenn keiner zur Stelle war. Überall im Land kam es zu Razzien. Busse und Autos wurden von Polizisten und von Soldaten, die mit Pistolen und Gewehren bewaffnet waren, angehalten und durchsucht. Passagiere mußten sich ausweisen, und wer irgendwie verdächtig schien, wurde mitgenommen zum Verhör. Verdächtig waren junge Männer in grünen Parkas, die ihre Schnauzbärte trugen wie Zapata, und junge Frauen in einfachen Kleidern und mit umgehängten Schultertaschen, die nicht wie Modepuppen herumliefen. Aussehen und Bekleidung reichten den Sicherheitskräften aus, um sie als Staatsfeinde auszumachen. Ich erinnere mich an die sprachlose Traurigkeit, die mich damals befiel, als ich auf Arbeitssuche war und dauernd Angst vor der Gewalt haben mußte, die an jeder Ecke zu lauern schien.

Und während die Gewalttätigkeiten zunahmen, wurden überall die alten, reich verzierten und von Gärten umgebenen Gebäude abgerissen und durch Wohnblocks aus Beton ersetzt. Oder durch Bankgebäude, Supermärkte, Tankstellen. Die Gesellschaft schien in Richtung Fortschritt zu galoppieren, Hindernisse wurden einfach überrannt und Kritiker bestraft.

Ich war verzweifelt. Und ich hätte so gerne all das erlebt, was jenseits der gesellschaftlichen Probleme lag. Von Liebe wollte ich erfüllt sein, nur sie würde mich aus der Verzweiflung erlösen; lange Spaziergänge wollte ich machen, im Wald oder am Strand entlang. Wollte mich freuen am Licht, an den Farben und den Geräuschen. Wie eine aufregende Reise sollte das Leben sein, mit vielen Entdeckungen unterwegs. Ich wollte mich frei entscheiden können, ohne von meinen Freunden des Individualismus bezichtigt zu werden. Ich weiß noch, wie zornig ich war in diesen Tagen, und daß ich dann jedesmal genau das tat, was verpönt war: ich habe mich allein in Restaurants oder in Cafés gesetzt, bin am Bosporus entlang gewandert, ins Kino bin ich gegangen und im Dunkeln nach Hause, alleine durch Straßen, auf denen die Männer sich drängten, mit ihrer aufdringlichen, ungehobelten Männlichkeit.

Ich bestand auf meinem Recht, allein sein zu dürfen; ich fand nichts dabei, auf einen Dampfer zu steigen und das Meer und den Himmel zu betrachten. Ich mochte meine Freiheit und ich mochte auch den Sozialismus. Ich dachte, im Sozialismus würde jeder glücklich, ohne Schuldgefühle und mit Anstand leben können. Im Sozialismus gäbe es keinen Schmerz, keine Gemeinheit, keine Angst und keine Gewalt mehr, dachte ich. Alle könnten das tun, was ihren Fähigkeiten entspräche, und die angenehmen Seiten des Lebens genießen. Sie würden in schönen Kleidern des Abends flanieren können, Kinos und Konzerte besuchen, spielen und tanzen und sich lieben. Und immer wäre Zeit für geistreiche und anregende Gespräche. Kein Schamgefühl und keine Einschränkungen, keine autoritären Männer, weder mürrische Väter noch frustrierte Mütter. Und keine eingeschüchterten Mädchen, keine geschlagenen Kinder. Alles würde gut werden. Ein Lächeln auf allen Gesichtern, Späße, Gedichte, Lieder. Und überall Blumen und Wiesen, der Boden trüge reichlich Früchte, und alle Meere wären offen. Ja, so malte ich mir den Sozialismus aus: als eine Gesellschaft des Genusses und des unschuldigen Glücks. Aber ich wußte nicht, wie der Sozialismus herbeigeführt werden könnte. Ich war bereit, den Menschen zu erzählen, wie alles gut werden könne, wenn wir nur erst den Sozialismus hätten. Es war verboten, darüber zu reden, und zog Verfolgung nach sich. (Ein Jurist, der über das Leben im Sozialismus geschrieben hatte, wurde zu acht Jahren Haft verurteilt.) Aber was hätte ich sonst für den Sozialismus tun können, als mein Wissen weiterzugeben? Ich wollte nicht in einen Krieg, in revolutionäre Kämpfe verwickelt werden, in denen Menschen getötet wurden, in Kämpfe, die das Leiden doch nur verlängerten. Allmählich erschienen mir Sozialismus und Revolution als Widerspruch, und ich wußte nicht mehr, wie ich beide verbinden sollte. Und es machte mich traurig, wenn mich jemand des Individualismus verdächtigte.

Nach dem Militärputsch vom 10. März 1971 waren die Gefängnisse voll mit Studenten, mit jungen Männern und Frauen, deren Körper noch unschuldig und furchtsam waren, deren Geist sie jedoch drängte, für die Gesellschaft zu wirken und sie befreien zu wollen. Sie wurden verhört von Männern mit teuflischen Trieben und mit Apparaten gefoltert, die man aus den Industrieländern eingeführt hatte. Jungen und Mädchen waren es, deren nackte Körper zwischen die Elektroden der Apparate gespannt über die Grenzen des Schmerzes gejagt wurden. Sie verloren ihr Bewußtsein, ihr Blut floß, und manche verloren ihr Leben. Viele von ihnen, die nur einmal am Tag in die engen Gefängnishöfe durften und frische Luft atmen konnten, alterten früh.

Da alle meine Versuche, sofort eine Stelle zu finden, nicht fruchteten, riet mir Aylin, ich solle mich um ein weiteres ärztliches Attest kümmern. Damit hätte ich Anspruch auf drei Monate Krankengeld. Und danach könne ich meine Stelle an der Sommerschule antreten.

»Aber mit welchem Grund denn?« fragte ich. »Ich habe keine gebrochenen Knochen.«

»Du kannst schon, geh in eine psychiatrische Klinik«, erklärte sie mir.

»Das ist nicht dein Ernst.«

»Ich kenne einen Psychiater. Er ist auch ein Dichter«, sagte sie.

Nach einigem Nachdenken stimmte ich ihr zu.

Sie rief den Arzt an und erklärte ihm, daß ich in ein Dorf verbannt worden sei, in dem ich es nicht aushalten konnte, und daß ich nun Angst hätte, arbeitslos zu bleiben. Sie fragte, ob er mir helfen wolle und eine falsche Bescheinigung ausstellen würde. Das sei schon möglich, aber die notwendigen Papiere müsse ein Klinikarzt ausstellen, und das ginge nur nach einer Woche Aufenthalt dort, zur Observation.

Am nächsten Tag traf ich den Psychiater in einem Café in Beyoglu. Er sah aus wie ein Bohemien. Während unseres Gesprächs trommelten seine Finger auf dem Tisch.

Er brachte mich in ein Krankenhaus, in dem geistig gestörte Patienten behandelt wurden. Dem Arzt solle ich sagen, daß ich unter Depressionen litte, nicht schlafen könne und mich stets isoliert fühlte.

»Jede kann irgendwann in ihrem Leben Depressionen haben«, fügte er hinzu, als er meine Besorgnis spürte, »und die Klinik ist der einzige Ort, wo Sie ein Attest bekommen können, das vom Erziehungsministerium akzeptiert wird.«

Während ich ihm zuhörte, schaute ich mich um und sah die Männer mit kahlgeschorenen Köpfen und den graugestreiften Pyjamas, die mit leeren Augen und einem kindlichen Lächeln auf den Lippen Selbstgespräche führten.

Wir durchquerten den großen Krankenhausgarten und kamen schließlich in einen Behandlungsraum. Der Arzt dort erschien mir kalt und unnahbar. Er übergab mich der Obhut eines Pflegers, einem riesigen jungen Mann mit einem stupiden Gesichtsausdruck. Er brachte mich in ein Büro, in dem ich mich photographieren lassen mußte.

Ich schauderte bei dem Gedanken, daß mein Gesicht an diesem Ort zu den Akten genommen wurde. Es kam mir vor, als würde ich nun für alle Ewigkeit mein junges Gesicht verlieren. Und plötzlich wollte ich nur noch fliehen, aber der Pfleger, als hätte er meine Gedanken lesen können, faßte mich am Arm und ließ mich nicht los, bis ich sicher der Frauenstation übergeben worden war.

Zwanzig, dreißig Frauen saßen auf ihren Betten und in absoluter Stille starrten sie mir entgegen, als ich zwischen den Betten den Gang entlanggeführt wurde. Aber dann, eine nach der anderen, begannen sie zu rufen. »Sei gegrüßt! Sei gegrüßt!« Ich lächelte und zitterte.

Mein Bett stand direkt an einem kleinen vergitterten Fenster. Meine Nachbarin war eine junge Frau, die mehrere Schichten Make-up aufgelegt hatte und eine rote Baskenmütze trug. Sie deutete auf das Kissen, das vor ihren Bauch geschnallt war, und erklärte, sie sei schwanger.

Auf der anderen Seite lag ein Mädchen mit schläfrigem Blick. In der ersten Nacht kam sie mehrfach zu mir und setzte sich auf meine Bettkante. Sie weckte mich, indem sie ihre Hand sanft auf meine Schulter legte.

»Ich muß dir etwas erzählen.«

Ich öffnete die Augen.

»Was ist?«

»Ich liebe ihn«, flüsterte sie.

»Wen denn?«

Sie antwortete nicht und flatterte zu ihrem Bett zurück. Immer wieder, immer wenn ich gerade wieder eingeschlafen war, berührte sie meine Schulter, weckte mich und flüsterte immer dieselben Worte: »Ich liebe ihn.«

Schließlich herrschte die Frau in der roten Baskenmütze sie barsch an. »Deniz, jetzt leg dich endlich schlafen, sonst fängst du eine!« Deniz wandte sich zu ihr und seufzte:

»Aber ich liebe ihn doch!«

»Verpiß dich!« schrie die Frau in der roten Baskenmütze.

Deniz ging zurück zu ihrem Bett. Noch lange schluchzte sie und murmelte fortwährend: »Ich liebe ihn. Ich liebe ihn.«

Ich habe die kindlich drängende und klagende Stimme von Deniz nie vergessen. In jener Nacht erschien mir die Liebe als etwas Furchterregendes.

Dreimal am Tag standen die Frauen in einer langen Schlange vor der Klappe, durch die das Essen aus der Küche gereicht wurde. Immer roch man die Arznei im Essen. Einfaches, lieblos gekochtes Essen, das sonst nach nichts schmeckte. Zwei derbe Wärterinnen beobachteten uns, und manchmal schikanierten sie die Widerspenstigen. Zur Essenszeit waren die Frauen besonders unruhig und erregt. Manche schimpften über das fade Essen, manche stahlen anderen die Portionen, manche von ihnen begannen in der Schlange oder an den langen hölzernen Eßtischen Streitereien. Rufe, Gelächter, Tränen, Gesang. Manchmal schlugen sie mit Tellern oder Besteck auf die Tische, nur aus Spaß oder aus Protest. Ja, zu den Essenszeiten wurden die Frauen immer kindisch.

»Hure! Hure! Du sitzt auf meinem Platz! Steh auf, oder du kriegst Prügel!« Eine wild aussehende Frau schrie auf mich ein.

Aber es war seltsam. Ausgerechnet in dieser wilden, wüsten Gemeinschaft lernte ich es, geduldiger zu sein und toleranter. Nicht einmal die Gewalttätigkeit von einigen dieser Frauen hat mir wirklich Angst gemacht. Ob ich mich unter Frauen instinktiv sicher fühlte? Oder hatte ich mich draußen an Gewalt und Bedrohung bereits gewöhnt? In der Welt draußen konnte an jeder Ecke eine Bombe versteckt sein, konnten plötzlich Männer mit Gewehren auftauchen und auf einen jungen Mann schießen, der davonlief. In jedem Augenblick konnte die Wohnungstür eingedrückt werden, und beinahe jeden Tag wurden junge Menschen verschleppt. Diese Welt draußen erschien mir weitaus gefährlicher als die Station mit den verrückten Frauen, die auch nach einem heftigen Handgemenge wieder zusammenfanden und wie zutrauliche kleine Mädchen miteinander schwatzten.

Und ich begann sie zu mögen, diese unglücklichen, von allen verlassenen Frauen. Bei ihnen habe ich gelernt, für die Menschen selbst Zuneigung zu entwickeln, ganz unabhängig von ihren Ideen, ihrer Klasse, ihrem Äußeren. Denn dort habe ich erlebt, daß auch Menschen, die alles verloren haben, am Leben hängen, daß sie Späße machen und brüllen können vor Lachen, daß sie sich verteidigen, daß sie weinen, sich ins Bett legen und schlafen. Ja, in den Tagen in der Klinik lernte mein unerfahrenes Herz die Duldsamkeit. Die Frauen haben mich ›die Lehrerin‹ genannt, vielleicht war es ironisch gemeint. Sie wollten, daß ich mich zu ihnen aufs Bett setzte, ihre Geschichten anhörte, meist merkwürdige, ganz unglaubliche Geschichten. Eine sehr kräftig gebaute Frau im mittleren Alter erklärte mir, daß sie Medizin studiert und sich in ihren Professor verliebt habe. Eines Tages gab dieser Professor ihr ein Zeugnis. »Sie haben Ihre Prüfung bestanden und sind zu einem Bus geworden.« Das stand darauf geschrieben. Also glaubte sie, daß sie ein Autobus geworden sei. Und sie hatte tatsächlich etwas von einem Autobus, mit ihrem kantigen, massigen Körper, den sie mechanisch durch die Station schleppte.

Eine andere Frau, die immer nur weinte, erzählte mir mit ihrer zarten und zitternden Stimme, ihr Sohn habe einen Unfall gehabt, und darum könne sie gar nicht mehr aufhören zu weinen. Ob ich nicht vielleicht einen Brief an ihren Sohn schreiben könne

Und dann war da noch die Frau, etwa fünfunddreißig Jahre alt, die mit einem deutschen Polizisten verheiratet war. Sie war gerade aus Hamburg gekommen und wollte in Istanbul Bruder und Schwester besuchen, aber die Geschwister hatten sie hierher in die Klinik gebracht. Sie brauche ›Ruhe‹, hätten sie gesagt. Die Frau zeigte mir einige Photos, ihr Eigenheim in Hamburg und das nagelneue Auto, aus den verschiedensten Blickwinkeln aufgenommen.

Im Laufe des Vormittags wurden viele Frauen in den Raum mit dem Elektroschockgerät gebracht, der sich am Ende der Station befand. Sie hoben die Hände und winkten uns mit einem gebrochenen, unschuldigen Lächeln. Und wenn sie zurückkamen, waren ihre Gesichter leer und verlassen. Diese Leere in ihrem Gesicht erschreckte mich am meisten. Das, dachte ich, ist wohl die schlimmste

Strafe überhaupt: So müssen die politischen Gefangenen aussehen, nachdem man sie mit Stromstößen gefoltert hat.

An einem Nachmittag wurden wir ins Badehaus geführt, das hinter dem Stationsgebäude lag. Das war die fröhlichste Stunde der Woche. Die Frauen fanden es lustig, einander nackt zu sehen, und mit schadenfrohem Gelächter bespritzten sie einander mit Wasser. Sie sangen, tanzten sogar. Es war, als würden sie etwas feiern.

»Oh, Du hast aber eine hübsche Figur, junge Dame! Schaut sie Euch an, schaut sie doch an!«

Und alle starrten auf mich, und ich fühlte mich verlegen und gleichzeitig geschmeichelt.

Am Tag der Visite wurde ich ins Zimmer des Arztes gerufen. Er saß hinter seinem Schreibtisch, in einem makellos weißen Kittel, und fing an, mich über meine Herkunft, meine Arbeit, meine Beziehungen und meine politischen Überzeugungen zu befragen. Ich sagte ihm, daß ich eine Linke sei. Er musterte mich eine Zeitlang mit harten Blikken, beugte sich dann über seine Akten, schrieb etwas hinein, und danach schickte er mich zurück zur Station.

Sechs Tage später wurde ich erneut in sein Zimmer gerufen, und ich dachte schon, man würde mich jetzt entlassen und mir die Papiere geben, die mir drei Monate Krankengeld verschaffen sollten. Aber der Arzt sagte mir barsch, ich müsse in der geschlossenen Abteilung bleiben.

Erschrocken schluckte ich. »Aber warum denn das?«

Er starrte mich kalt an und sagte: »Nach den Beobachtungen des Personals leiden Sie an einer schweren Depression.«

»Depression?« stammelte ich erstaunt.

»Ja. Sie sind zu introvertiert.«

Bei diesem Wort durchlief mich ein Schaudern. Und ich fragte mich selbst, ob der Arzt nicht vielleicht recht habe.

Ich mußte zugeben, daß ich mich nicht leicht unter Menschen mischte. Ich war neugierig auf Menschen, aber ein Teil von mir suchte immer nach innerer Zuflucht. Aber das konnte ich diesem arroganten, steifen Arzt nicht erklären. Statt dessen erklärte ich ihm lieber, daß ich in die Klinik gekommen sei, um ein Attest zu erhalten, das mich von der Arbeit befreien würde.

Dem Arzt erschien das nicht überzeugend.

»Gehen Sie zurück auf die Station«, befahl er.

Dort fragte ich die Schwester, ob es ein Telephon für die Patienten gebe. Ich erfuhr, daß es einen öffentlichen Fernsprecher gab. Morgen könne der Pfleger mich dorthin begleiten.

In dieser Nacht konnte ich kaum schlafen. Nachdem sich eine traurige Stille über die Station gesenkt hatte (alle bekamen Schlafmittel, nur ich nicht, da meine Diagnose noch nicht endgültig feststand), mußte ich an all das denken, was ich hinter mir gelassen hatte. Hier wäre ich für alle Ewigkeit verloren, alle Möglichkeiten der Liebe und des Lebens wären verschenkt, dachte ich. Und fühlte mich versinken, immer kleiner werden, so als würden all meine inneren Kräfte versiegen. Ich war den Tränen nahe. Da plötzlich mußte ich an Samo denken und ich spürte, wie mir wieder warm wurde ums Herz. Samo, der gesagt hatte, er werde kommen, wann immer ich ihn rufen würde. Warum nicht, warum sollte ich ihn nicht anrufen und mit ihm fortgehen? Weit fort…

Ich entschloß mich, ihm zu schreiben, sobald es hell würde, und entspannte mich. Meine Augenlider wurden immer schwerer. Plötzlich durchlief mich ein Zittern, eine tiefe Stimme hatte mich aufgeschreckt. Die große Frau, die sich für einen Oberst hielt, stand an meinem Bett. Sie marschierte häufig, militärisch grüßend, in der Station umher. Nun stand sie am Fußende meines Bettes und kommandierte: »Eins, zwei, drei, bereit.« Ich zitterte, blieb aber still. Da ging sie hinüber zu den anderen Betten und wiederholte ihren Befehl.

Nach dem Frühstück kam der Pfleger, um mich zum öffentlichen Fernsprecher zu begleiten; er packte mich fest am Arm.

»Laß mich los!« schrie ich. »Ich bin nicht krank.«

Er wartete vor der Zelle, während ich mit dem Dichter-Psychiater sprach. Ich machte ihm Vorwürfe, daß er mich überhaupt in diese Klinik gebracht hatte. Er sagte, in zwei Stunden werde er bei mir sein.

Noch ein Tag verging. Ich saß auf meinem Bett, als ich die Schwester meinen Namen rufen hörte.

»Sie können gehen«, sagte sie.

Die Nachricht meiner Entlassung wurde in der Station mit Applaus und Hochrufen aufgenommen. Die Frauen versammelten sich um mich: »Geh für mich bei Abdullah ein Eis essen!«

»Vergiß uns nicht!«

»Ruf meinen Mann an, bitte. Sag ihm, mein Baby kommt bald.«

»Bitte, bring diesen Brief für mich zur Post.«

»Komm uns bald besuchen, Lehrerin.«

Die Schwester führte mich hinaus und schlug ihnen die Tür vor der Nase zu. Als ich im Garten war, schaute ich zurück zu den schemenhaften Gestalten hinter den Gittern. Ich hatte einen Kloß im Hals. Ich winkte ihnen zu, drehte mich dann um und ging mit zögernden Schritten durch das Tor der Klinik ins Freie.

Auf dem nächsten Postamt gab ich die Briefe der Frauen an ihre Männer und Liebhaber auf, auch meinen Brief an Samo.

6

Dreimal hatte Samo angerufen, um mir zu berichten, wo er inzwischen sei. Er hatte sich mit dem Auto auf den Weg gemacht, und das letzte Mal, als er anrief, beschrieb ihm meine Cousine Suzan den Weg zu ihrem Haus; sie sprach mit ihm, als gehöre er bereits zur Familie.

»Sei vorsichtig, fahr nicht zu schnell.«

Ihr erschien es gewiß, daß Samo und ich heiraten würden, schließlich war ich als Lehrerin gescheitert und hatte in einer Irrenanstalt meine Freiheit riskiert. Sie lachte.

»Gott muß dich sehr lieben; er schickt Dir einen Ehemann, genau zur rechten Zeit.«

Ich fragte mich, warum Suzan die Aussicht, daß ich einen Mann aus einem sozialistischen Land heiraten würde, derart begrüßte. Vielleicht lag ihr aber nur daran, daß ich überhaupt heiratete, ganz gleich wen. Sie befürchtete wohl, daß ich, wenn ich unverheiratet bliebe, ein aufregenderes Leben führen könnte als sie.

Ihr Mann, ein dicker und kahlköpfiger Mann aus vornehmer Familie, war Fabrikbesitzer. Er liebte die Oper und machte keinen Hehl aus dieser Liebe...

»Einmal bin ich abends von Istanbul nach Ankara geflogen, bloß um eine Aufführung der ›Aida‹ zu sehen. Und hinterher mit dem Nachtzug zurück, damit ich rechtzeitig zur Arbeit kam.«

Sein schwerer Leib ruhte entspannt im Sessel, er ließ ein Glucksen hören. Vermutlich hat er diese Geschichte allen seinen Bekannten erzählt. Das machte ihn seiner Frau überlegen, die lieber Juwelen kaufte, als in die Oper zu gehen.

Suzan, mollig und blond und immer nach der neuesten Mode gekleidet, tat, als sei sie zufrieden mit ihrem Eheleben. Aber ich spürte die Enttäuschung hinter ihrem aufgedrehten, mädchenhaften Gelächter. Ihr Mann verachtete sie, so wie die meisten reichen Männer ihre Frauen verachten.

Als es klingelte, sprang Suzan auf und eilte zur Tür. Die Tür ging auf, und da stand Samo, schüchtern und aufgeregt wie ein junger Soldat auf Heimaturlaub.

Suzan küßte ihn, ohne zu zögern, auf beide Wangen, und er erwiderte ihre Begrüßung. Ich ging ihm entgegen.

»Hallo.«

Wir standen da und lächelten einander an. Versuchten, die fragile Verbindung zwischen uns wieder zu knüpfen. Schließlich umarmten wir einander. Sein Körper war heiß und zitterte leicht. Ich war glücklich. Ich fühlte mich wie ein empfindlicher Baum, der nach einem harten Winter erwacht.

An diesem Abend noch suchte Suzan die Gelegenheit, über die Bedeutung einer guten familiären Herkunft zu sprechen. Es war ihr nicht recht, wenn unsere Familie schlecht abschnitt im Vergleich zu Samos Familie, dessen Vater immerhin Minister war. Also erzählte sie ihm, daß unsere Großmutter eine Nichte des Sultans gewesen sei.

»Wirklich?« sagte Samo in einem Ton, als habe Suzan, die sich unentwegt mühte, lustig zu sein, wieder einen Scherz gemacht.

»Aber natürlich, das ist die Wahrheit«, rief Suzan aus.

Gegen Mitternacht ließ sie Samo und mich alleine im Wohnzimmer zurück, von dem aus man die Bosporus-Brücke und jenseits des Wassers die Küste Asiens sehen konnte. Wie anders war das hier als nebeneinander im Flugzeug zwischen New York und Zagreb. Damals waren wir heiter und sorglos gewesen, als spielten wir nur ein Spiel. Jetzt lag etwas Bedrohliches in der Luft, etwas Ernsthaftes.

»Ich bin so glücklich. Und du?« flüsterte er.

Ich schaute ihn an und fühlte mich dennoch wohl. Seine Gesellschaft belebte mich. Wieder stieg in mir das Gefühl auf, ich könnte vor ihm mein Leben ausbreiten und all meine Geheimnisse lüften. Und ich überlegte auch, ob ich ihm von meiner Verbannung und von den Tagen in der Klinik erzählen sollte. Dann tat ich es doch nicht. Es schien mir unpassend zu sein, ihm von meinem Mißgeschick zu erzählen. Er wollte ganz offensichtlich glücklich sein und wirkte so hoffnungsvoll, deshalb wollte ich von nichts Trübem reden.

Samo schaute auf seine Uhr.

»Halb zwölf... Bist du müde?«

Da wußte ich, daß ich ihm diese Frage hätte stellen müssen. Doch ich habe es nicht fertiggebracht.

Im Obergeschoß gab es zwei Gästezimmer. Suzan, die es genoß, mir ihre Erfahrungen in Angelegenheiten der Liebe vorzuführen, hatte mir in der Küche zugeflüstert: »Sei nicht altmodisch; du wirst ihn sowieso heiraten.«

Samo fragte flüsternd, ob wir nicht schlafen gehen sollten. Ich errötete. Dann dachte ich, als unkonventionelles Mädchen müßte ich mehr Mut zeigen und meine Schüchternheit überwinden.

Ich konnte Samo schlecht vorschlagen, in getrennten Zimmern zu schlafen. Er hatte, um bei mir zu sein, eine so weite Reise unternommen, und ich war doch schon fast entschlossen, mit ihm fortzugehen und ihn zu heiraten.

Wir gingen nach oben, in eines der Gästezimmer. Bekleidet lagen wir noch eine Weile auf dem Doppelbett. Wortlos hielten wir einander umschlungen. Ich wurde die Vorstellung von Suzan nicht los, die bestimmt in ihrem Bett liegen und auf jedes Geräusch aus unserem Zimmer lauschen und kichern würde.

Und ich lag im Dunkeln, hörte mein Herz klopfen und auch das von Samo, und ich hoffte, daß wir nun die große Liebe erleben würden, die Liebe meiner Träume. Flüsternd schlug Samo vor, daß wir uns ausziehen sollten und uns einfach still nebeneinander legen. Er wolle warten, bis auch ich bereit sei, das zu tun, was ein Mann und eine Frau tun. Ich ließ ihn mir beim Ausziehen helfen. Zum ersten Mal in meinem Leben lag ich nackt neben einem Mann. Langsam ergab sich mein Körper in seine Berührungen. Ich wollte doch nichts anderes, als die Liebe fühlen und alle Konventionen und die Gewalttätigkeit um uns herum vergessen. Ich schloß die Augen und wollte das Glück spüren. Nach einer Weile glitten wir unter die Decken und schliefen ein.

Suzan bestand darauf. Ich müsse Samo unbedingt den Yildiz Palast zeigen, wo unsere Großmutter als kleines Mädchen gelebt hatte. Ich tat es widerwillig. Nie zuvor war ich dort gewesen. Ich interessierte mich nicht für Paläste, und nostalgische Verklärung der Vergangenheit lehnte ich ab. Nur reaktionäre Menschen waren stolz auf die Herrschaft der Osmanen, wir, die revolutionären Studenten, gaben nichts darauf. Unsere Zeit war die Moderne. Das Osmanische Reich dagegen war die Zeit der Unterdrückung, der verhüllenden Kleider, des Schleiers, des Harems. Damals hatte man in einer Sprache gesprochen und geschrieben, die wir weder verstehen noch lesen konnten. Das gehörte zu einer Gesellschaft, die nicht die unsere war. Unsere Gesellschaft war mit der Republik entstanden, gestiftet von Kemal Atatürk, dem Vater der Nation; das hatte man uns in der Schule beigebracht. Und man hat uns angehalten, stolz auf unsere moderne Republik zu sein. Zeitgenossen sollten wir sein, und das hieß, wir sollten sein wie die Westeuropäer. Damit wir ihnen glichen, versuchten wir, zu denken wie sie – auch dann, wenn es um unsere Geschichte ging. Also sahen wir das Osmanische Reich durch ihre Augen: und es erschien uns als etwas fast Lächerliches.

»Warum sollten wir zu diesem Palast gehen?« fragte ich.

Suzan lachte nur.

»Ich weiß doch, daß es Samo gefallen wird«, sagte sie und schaute ihn an.

Samo war Feuer und Flamme.

Ich machte den Vorschlag, mit dem Bus zu fahren und nicht mit Samos winzigem gelben Auto.

»Aber warum?« fragte Suzan, ihr rundes Gesicht glänzte belustigt.

»Weil – wegen der roten Sterne auf dem Nummernschild.«

»Was ist damit?«

»Daran sieht jeder, daß das Auto aus einem sozialistischen Land stammt«, murmelte ich.

»Kein Problem«, beteuerte Suzans Mann. »Es gibt inzwischen viele jugoslawische Touristen, die die Türkei besuchen.

Ich konnte mich nicht dazu durchringen, meinem Cousin und meiner Cousine zu erklären, daß die Polizei vielleicht eine Akte über mich führte und uns wahrscheinlich folgen würde, so wie das damals üblich war. Man erzählte davon, daß die Stadt von Geheimpolizisten wimmelte, die Studenten und Revolutionäre überwachten.

»Na gut, fahren wir mit dem Auto«, sagte ich zu Samo, der auch nicht verstand, warum ich mir Sorgen machte.

Suzan und ihr Mann winkten uns nach, als wir losfuhren, an schicken Villen vorbei, dann die Straße mit dem dichten Verkehr bergab. Der Motor des kleinen Wagens heulte und jaulte, als wir dann zum Palast hinauffuhren, der auf einem kahlen Hügel hinter den hohen Mauern versteckt lag. Ruhig und verlassen stand er in einem Park, ein zweistöckiges pfirsichfarbenes Gebäude, umgeben von verschiedenen Nebengebäuden. Harem, Theater, Bibliothek, Tischlerwerkstatt. Einige davon waren zerfallen. In der Luft lag der Duft von Jasmin und Rosen. Im Park gab es einige Gewächshäuser, deren Dächer mit reichem Schnitzwerk verziert waren, und einen Teich im Schatten von Magnolien. Wir sahen den kleinen Wasserfall und die Brücke aus Holz, verziert wie ein Schmuckstück. Schmale Pfade führten in das geheimnisvoll verwucherte Gelände des Parks. Es war spät im Oktober, doch es war noch warm. Nur der Wind, der vom Bosporus heraufwehte, war frisch und salzig.

Ich stand in diesem Park, und meine Blicke ruhten auf dem Fenster in der Mitte des langgestreckten und heruntergekommenen Bauwerks, plötzlich kam mir die Geschichte in den Sinn, die mir meine Großmutter vor Jahren erzählt hatte. Eine jener Geschichten, die das empfindsame Gemüt von kleinen Mädchen zum Erschauern bringen.

Es lebte einmal ein schönes Mädchen in diesem Harem, ein stilles Geschöpf, das mit zarter Stimme sang, während die anderen Frauen beieinandersaßen, nähten und stickten. Sie war neu im Harem und deshalb eine der Favoritinnen des Sultans. Eines Tages schenkte sie einem jungen Tischler, der nicht weit vom Harem am Bau des Palasts mitarbeitete, ihr Herz. Niemand weiß, wie sie es bewerkstelligten, sich zu treffen und einander ihre Herzen zu öffnen. Vielleicht war das während einem der Spaziergänge geschehen, die den Haremsdamen erlaubt waren, im Rosengarten des Palastes, oder während sie in Kutschen zu Ausflügen an den Bosporus gefahren wurden und die Welt durch ihren Schleier betrachten durften. Sie waren streng abgeschirmt von der Welt. Darum habe ich auch nie verstanden, wie es einer von ihnen gelingen konnte, dem Mann, den ihr Herz erwählt hatte, ein Zeichen zu geben. Man erzählt, daß sie Gelegenheiten gefunden hätten, den Schleier leicht zu lüften, daß sie Briefe geschmuggelt hätten an ihre Geliebten. So muß es diese junge Frau für ihren Tischler getan haben. Und da sie eine hübsche Stimme hatte, wird sie vielleicht ein Lied gesungen und gehofft haben, daß sich der Tischler bei Einbruch der Dunkelheit unter ihrem Fenster versteckt. Und eines Nachts, entflammt in ihrer verbotenen Leidenschaft, hat sie sich entschlossen, das Fenster offenstehen zu lassen, so daß der Tischler zu ihr schleichen konnte, was er auch tat. Es muß spät in der Nacht gewesen sein, während der mächtige Palast in tiefem Schlaf lag. Wie viele Stunden sie zusammen verbrachten, vermochte meine Großmutter nicht zu sagen. Aber sie wußte genau, wie man sich erzählte, daß der Eunuch einen jungen Tischler bei Tagesanbruch ertappt und ihn in den Kerker verschleppt hatte, wo der Henker darauf wartete, Köpfe von sündhaften Leibern zu trennen. Auf jeden Fall hat keiner den Tischler je wieder gesehen. Auch das Mädchen nicht, das wohl verbannt worden war, wenn der Sultan sich hat gnädig zeigen wollen.

All das ging mir durch den Kopf, als ich hinaufschaute zu dem Fenster in dem zerfallenen Bauwerk, und neben mir stand Samo, mein Geliebter seit einer Nacht. Ein Zittern durchlief mich, als ich an das Mädchen und seinen Tischler dachte, und ein Staunen, daß sich all das vor weniger als hundert Jahren an diesem Ort ereignet hatte, gerade hier, wo ich nun stand neben einem Mann, der von weit her gekommen war, um mich mit sich zu nehmen. Ich war dankbar, dankbar gegenüber der Zeit, in die ich hineingeboren war, gegenüber dem Fortschritt, der die Schleier weggerissen und die schweren Türen aufgestoßen hatte, so daß die Frauen hinausgehen konnten und lieben.

Samo erschien überwältigt, er murmelte nur: »Wie schön, wie schön.«

Wir lösten Eintrittskarten und betraten den Palast. Man führte uns durch verschiedene Räume, überall die Pracht von Kristallgefäßen, Mosaiken, Seidenstoffen, Zeichen sinnlicher Genüsse und absoluter Macht. Wir waren still, fast schlichen wir auf Zehenspitzen. Samo übertrieb seine Begeisterung, verlangend streckte er die Hände aus nach den goldbestickten Kaftanen, den goldenen und silbernen Karaffen, den smaragdgrünen Juwelen. Mit einem glücklichen Lächeln schaute er mich immer wieder an. Und als er ein sehr kleines Hofgewand erblickte, legte er mir den Arm um die Schulter und flüsterte: »Das muß das Kleid deiner Großmutter sein.«

Ich nickte gedankenverloren und versuchte, mich an diese alte Frau zu erinnern, die so bescheiden wirkte in ihrem selbstgenähten Baumwollkleid und dem schwarzen Kopftuch aus Crêpe de Chine, an die Frau, deren Gesicht voller Falten war und voller kindlicher Neugierde, an diese unschuldig gebliebene Frau, die dem Leben zuschaute, als spiele es auf einer Bühne, auf der sich alles ereignen konnte, ein Schauspiel, in dem das Schicksal oder Gott Regie führte. In meiner Erinnerung sehe ich sie als warmherzige Frau, die niemandem etwas übelnehmen konnte, nur ihrem grausamen Vater und dem Gründer der Republik, Kemal Atatürk, der sie, wie sie glaubte, von ihren Ahnen und ihren Wurzeln abgeschnitten hatte. Manchmal habe ich sie ausgelacht, fand sie kindlich und einfältig. Für mich hatten Wörter wie Ahnen oder Wurzeln keine Bedeutung. Das waren leere Hülsen. Weder ich noch meine Freunde hatten ein Gefühl für Verwurzelung oder für Vorfahren. Wir Revolutionäre hatten keine Zeit, uns mit solchen Dingen zu befassen, wir hatten alle Hände voll zu tun, die Welt zu verändern und eine glanzvolle Zukunft einzuleiten. Wer sich auf die osmanische Vergangenheit und die Traditionen berief, der war ein Reaktionär. Dazwischen gab es nichts. Man mußte sich entscheiden, entweder für die Zukunft oder für die Vergangenheit. Ich sah, wie Samo mit der Begeisterung eines Touristen den Palast bewunderte. Ich konnte seine Begeisterung nicht teilen. Aber ich konnte ihm den Grund meiner Zurückhaltung auch nicht erklären. Wir hatten gar keine Zeit, um über so komplizierte Dinge zu sprechen, so sehr waren wir damit beschäftigt, einander zu entdecken, zu ertasten, uns in die Liebe hineinzustürzen, in eine gemeinsame Zukunft. Als ich aber sah, mit welch naiver Bewunderung Samo durch Istanbul lief, als sei die Stadt ein einziger Karneval, da wollte ich doch, daß er die Wirklichkeit hinter der bezaubernden Fassade zu sehen bekam.

Er regte sich darüber auf, als er die verkrüppelten Jungen sah, die auf dem Trottoir hockten und bettelten. Ich sagte ihm, daß es darüber Berichte gäbe, wie solche Kinder von kriminellen Banden aus den Dörfern verschleppt, manchmal sogar verstümmelt und dann gezwungen würden, für ihre Peiniger betteln zu gehen. Samo mochte das nicht glauben. Er konnte nicht verstehen, warum niemand so entsetzliche Verbrechen verhinderte.

Er schwatzte mit den Jungen, die auf dem Trottoir hockten mit ihren Schuhputzkästen aus Kupfer oder Messing, die mit Photographien von Filmstars, Bauchtänzerinnen oder einer strahlenden Miss World geschmückt waren.

Wir schlenderten Hand in Hand am Ufer des Bosporus

entlang. Wir aßen gegrillten Fisch in einem winzigen Restaurant am Meer. Jedes Mal, wenn wir in sein kleines Auto einstiegen oder es wieder verließen, schaute ich mich um, um zu sehen, ob uns nicht doch irgendein Spitzel der Geheimpolizei folgte.

Am zweiten Tag besuchten wir einen Verwandten von Samo. Er betrieb ein Lokal in Aksaray, einem Stadtviertel voller Straßenverkäufer und winziger Läden, durchflutet von lauter Musik und lärmenden Autos. Vor dem Lokal gab es eine armselige, von Weinranken überwucherte Terrasse. Der Besitzer des Lokals war ein großgewachsener hagerer Mann. Er umarmte und küßte Samo. Samo nannte ihn Onkel Sadi.

»Meine Verlobte«, sagte Samo. Daraufhin umarmte Onkel Sadi auch mich. Er führte uns zu einem Tisch und rief nach dem Kellner. Zehn Minuten später war der Tisch von kleinen Schüsseln mit kalten und warmen Speisen bedeckt, die nach scharfem Pfeffer, Knoblauch und Thymian dufteten. Onkel Sadi fragte Samo nach seinen Eltern, seinen Brüdern und nach seiner Heimatstadt.

»Eine sehr gute Familie«, sagte er zu mir, »aber diese Stadt – naja, wenn man glücklich miteinander ist, kann man überall leben…«

Samo fragte ihn, ob er in Istanbul glücklich sei.

»Hier braucht man eine Menge Geld. Aber wenn man Geld hat, dann kann man hier leben wie ein König.«

»Und, lebst du wie ein König?« fragte Samo.

»Aber klar, wie ein König!« sagte Onkel Sadi und ließ beides erkennen, Mißerfolg und Stolz.

»Die eine Hälfte meiner Einkünfte bekommen die Angestellten, die andere geht für Schmiergelder drauf.«

Er bestand darauf, daß wir in seiner Wohnung übernachteten, die nicht weit vom Lokal lag. Ich rief Suzan an, um ihr Bescheid zu sagen, daß wir diese Nacht nicht zurückkehren würden.

Die Wohnung lag im obersten Stockwerk eines schmuddeligen alten Gebäudes. Im Treppenhaus gab es keinen Strom, und wir mußten den Weg mit Streichhölzern beleuchten.

Abends führte uns Onkel Sadi aus. Wir spazierten durch die Beyoglu. Onkel Sadi schaute gern in die Auslagen mit den Schaufensterpuppen.

Über der Beyoglu, einer der ältesten und geschäftigsten Straßen der Stadt, schwebte nachts ein aufdringliches Parfüm der Tristesse. Prostituierte in kurzen engen Röcken lauerten in den schäbigen Hauseingängen.

Onkel Sadi wollte, daß wir uns amüsierten und nahm uns mit in eine Kellerbar, in der rotes Dämmerlicht herrschte. Männer mit schläfrigen, aber verschlagenen Blicken machten es sich bequem, als seien sie in ihrem Dorfcafé, und halbnackte Mädchen mit aufgedonnerten Frisuren schwatzten mit ihnen.

Onkel Sadi war hier offensichtlich kein Fremder. Er spendierte uns Champagner; auch dem Mädchen, das sich neben ihn setzte und angestrengt lächelte.

Es war das erste Mal, daß ich Champagner getrunken und in einer solchen Bar gesessen habe. Ich fühlte mich unwohl, doch es reizte mich auch. Als ich zur Toilette gehen wollte, begleitete mich Samo. Die Wärterin, eine kleine alte Frau, erzählte mir, daß ich sie an ihre Tochter erinnere. Sie habe in Nachtlokalen als Bauchtänzerin gearbeitet.

»Sie war wie ein Engel«, sagte sie und schaute uns mit erstarrten Augen an, »jetzt ist sie tot...«

Wir waren bestürzt.

»Einem reichen Grundbesitzer aus Konya ist sie aufgefallen, er wollte sie zu seiner Maitresse machen. Sie wollte nicht. Und eines Nachts, als sie den Club verlassen wollte, hat sie irgendwer niedergestochen und ist davongelaufen.«

Ich schüttelte den Kopf, wußte nicht, was ich der Frau sagen sollte.

Samo gab ihr ein großes Trinkgeld. Stumm und traurig kehrten wir zum Tisch zurück.

Später trat eine Bauchtänzerin auf. Samo schaute ihr gebannt zu. Ich blickte kühl zu ihr hinüber. Die Tänzerin, die ihren Körper so aufreizend zur Schau stellte, machte mich neidisch und eifersüchtig. Und ich hatte Angst vor Sex. In meinem Unbewußten war Sex entweder mit Sünde oder mit Gefahr verbunden. Noch gehörte das Körperliche nicht zu meinem Traum der großen Liebe.

Aber in jener Nacht kurz vor Morgengrauen geschah es. Auf einem schäbigen Bett, in einem winzigen Zimmer. Das dunkle Viereck des Fensters wurde langsam heller, und ein tiefblaues Licht prägte Samos freundliches Gesicht für immer in mein Gedächtnis.

Der fünfte Tag unseres Zusammenseins war wie ein Feiertag. Wir saßen in einem der kleinen Cafés unter der Galata-Brücke. Jedesmal, wenn ein Schiff anlegte, schwankte der Holzboden des Cafés und quietschte. Lieder ertönten aus den Kiosken, Restaurants und Fischerbooten. Umgeben vom Geschrei der Fischer, Straßenverkäufer und Kellner schlürften wir unseren Tee, still und vereint.

Wir nahmen einen Bosporus-Dampfer, der im Zickzack von einer Küste zur anderen und zurückfuhr, als würde er, beladen mit Vergnügen, tanzen. Wendige Kellner brachten den Passagieren Tee, geschickt balancierten sie ihre schweren Tabletts, ohne auch nur einen Tropfen zu vergießen. Verkäufer schlängelten sich durch die überfüllten Decks und priesen irgendwelche neuen Erfindungen an – einen Kartoffelschäler aus Metall oder einen Flaschenöffner –, hielten flammende Reden, die sie mit Späßen und Anspielungen würzten, drängten die Menschen zum Kauf: im Laden müßten sie das Zehnfache zahlen, und ihnen, den Verkäufern, ginge es gar nicht um den Gewinn, sie handelten aus reiner Menschenfreundlichkeit. Eine Zigeunerin mit geblümten weiten Hosen schritt durch die Sitzreihen und bot den Fahrgästen an, die Zukunft aus der Hand zu lesen. All das geschah auf dem Deck des Dampfers, es war wie auf einem Jahrmarkt, und wir kamen gar nicht dazu, hinüberzuschauen zu den Ufern des Bosporus, zu den Serails, den alten Villen und Kiosken, die sich an den Ufern entlangzogen wie zwei Perlenstränge.

Ich fühlte Samos Hand warm auf meiner Schulter und blickte zum sonnenbeschienenen Horizont vor uns. Ich fühlte mich hin- und hergerissen zwischen den beiden, zwischen Samo und Istanbul, und ich fürchtete mich, die Stadt zu verlieren. Ich begann zu zögern, zwei Bedürfnisse rissen mich in einen Zwiespalt. Ich wollte mit dem Land verbunden bleiben, dem ich meine Gefühle und meine Sprache verdankte, und doch wollte ich mich hier herausholen lassen.

»Bist du glücklich?« flüsterte Samo.

Ich nickte und verbarg meine Unentschiedenheit vor

ihm. In dieser Nacht sprach ich mit Samo über Politik, über die Verhaftungen, die Morde, die Demonstrationen und Razzien. Er hörte aufmerksam zu, nickte und streichelte meine Hand, als bäte er mich, das alles hinter mir zu lassen und mit ihm in einem Land glücklich zu werden, in dem sich keine traurigen Dinge wie diese ereigneten.

Während der Tage, die Samo und ich bei Onkel Sadi verbrachten, hatte Suzan meine Mutter in Izmir angerufen und ihr erzählt, ich würde den Sohn eines jugoslawischen Ministers heiraten. Meine Mutter, bestürzt und glücklich zugleich, wollte mich sofort sprechen.

Am nächsten Tag rief ich sie an. Als erstes fragte sie mich, ob denn tatsächlich wahr sei, was Suzan ihr erzählt hatte.

»Ja, es ist wahr.«

Sie schien gekränkt, weil es Suzan war und nicht ich, von der sie solche Neuigkeiten hatte hören müssen. Aber es ist mir nie schwergefallen, meine Mutter zu versöhnen. Sie war die Tochter einer adeligen Frau und eines sturen Patriarchen, konnte kaum lesen oder schreiben, aber sie hatte den Mut, sich auch den fremdesten Vorstellungen zu öffnen und konnte auch Gegensätze ertragen. Und während ich jetzt im Zug sitze und hinausschaue in die tiefgrüne Landschaft, sehe ich ihr Bild vor mir. Ihr markantes Gesicht, ihre hellbraunen Augen, die verschmitzt und wissend blitzen, sich aber auch vor Enttäuschung trüben konnten, ich sehe ihren schönen kleinen Körper, wie er sich im Rhythmus eines orientalischen Tanzes geschmeidig wand und sich später immer mehr unter den Schmerzen krümmte, die sie ertragen mußte. Immer schon schwankte sie zwischen Resignation und Unternehmungslust. Wenn sie niedergeschlagen war, klagte sie über ihre verschiedenen Krankheiten und sah sich als das Opfer eines grausamen Schicksals. Dann klebte sie an den Traditionen, betete und trug ein Kopftuch. Sie beschimpfte ihren Ehemann, meinen Vater, der Jahre zuvor weggelaufen war und nun in der Schweiz lebte, und auch uns Kinder, die wir nicht bei ihr geblieben waren. Doch wenn sie solche Stimmungen überwunden hatte, besuchte sie die Nachbarn, bereitete wundervolle Gerichte zu, sang, schminkte sich die Lippen, färbte sich das Haar, war weltlich und praktisch. Dann verteidigte sie die Freiheit und war glücklich, daß ich Dinge tun konnte, die sie nie hatte tun dürfen. Wenn mein Onkel oder meine Tante ihr wegen meines Verhaltens ins Gewissen redeten, pflegte sie zu sagen: »Aber ich vertraue ihr.« Ja, sie vertraute mir und wollte meine Aufregungen, meine Geheimnisse, meine Sorgen mit mir teilen. Sie wartete auf mich, auf meine Briefe, sie ging mit mir spazieren, stolz auf meine Jugend und auf das Interesse, das Männer an mir zeigten, und war zugleich bereit, sich wie ein Schutzschild zwischen mich und sie zu stellen. Im Gegenzug verlangte sie aber mein Mitgefühl für ihr vergeudetes Leben. Sie wollte mich behalten und unterstützte mich doch in meinem Bemühen, einem leuchtenden Horizont entgegenzufliegen, dem Horizont des Glücks, des äußersten Glücks.

Sie war nicht nur beleidigt, daß ich einen Ehemann gefunden hatte, ohne ihr irgendetwas davon zu sagen, sie war auch verwirrt, als sie erfuhr, daß dieser Mann ein Ausländer, ein Jugoslawe sei. Als ich ihr erzählte, seine Mutter sei türkischer Abstammung und sein Vater ein Albaner, fragte sie, ob Samos Eltern denn zu ihr reisen würden, um von ihr die Hand ihrer Tochter zu erbitten, wie es die Tradition verlange. Ich sagte ihr, sie solle doch die Traditionen vergessen. Eine Weile stritten wir uns am Telefon. Schließlich fragte sie, ob die Hochzeit in Izmir stattfinden würde.

»Samo kann nicht lange hierbleiben. Er muß zurück«, sagte ich.

»Wird er bald zurückkommen?«

»Nein. Ich werde mit ihm gehen.«

»Was? Du willst mit ihm gehen?«

»Ja.«

Sie fragte, warum Samo nicht hierbleiben und hier als Ingenieur arbeiten könne.

»Kann er nicht«, sagte ich. Ich sagte ihr nicht, daß ich es war, die weggehen wollte, die weggehen mußte.

»Aber wir können nach Izmir kommen. Morgen schon«, sagte ich.

7

Mehrfach steckten wir in Autoschlangen, die nur im Schneckentempo vorankamen. Ich merkte, wie die anderen Autofahrer uns anschauten. Ich glaubte, daß sie zu uns hinüberblickten, weil unser Auto einen roten Stern trug, das Symbol Jugoslawiens. Ich fürchtete, Samo könnte einen Fehler machen und die Aufmerksamkeit von Polizisten auf uns lenken, die mich, nachdem sie unsere Ausweise gesehen hätten, fragen würden, aus welchem Grund ich denn in einem kommunistischen Auto säße. Es würde die Polizisten zornig machen, daß ein türkisches Mädchen es vorgezogen hatte, einen Jugoslawen zu heiraten.

Nachdem wir Istanbul hinter uns gelassen hatten,

steckte Samo eine Kassette in den Rekorder. Ein langatmiges klassisches Solostück. Er sagte, er liebe den Reichtum und die Würde der klassischen türkischen Musik.

»Mir ist die volkstümliche Musik lieber«, sagte ich. Das war Mode unter meinen Freunden und Genossen, eine Bekundung der Sympathie mit den armen Bauern Anatoliens. Die klassische türkische Musik dagegen verbanden wir mit dem Osmanischen Reich und den privilegierten Klassen. Damals war es uns nicht wichtig, ob uns etwas gefiel; wichtig waren nur unsere Prinzipien.

Es machte mich so glücklich, neben Samo im Auto zu sitzen und Pfefferminzbonbons zu lutschen. In der kühlen Luft des Abends fuhren wir an Weinbergen vorbei. Wir aßen Şiş-Kebap und tranken Ayran, mit Wasser schaumig geschlagenes Yoghurt. Samo wollte dann ohne Pause durchfahren bis nach Izmir.

»Damit deine Mutter nicht wegen uns so lange aufbleiben muß«, sagte er. »Ich werde ›Mutter‹ zu ihr sagen.«

Eigentlich war es zu früh für diese Anrede; aber so war er, schnell bereit, Bindungen einzugehen, und von einer kindlichen Offenheit.

Bei Anbruch der Dunkelheit wurde das Fahren immer schwerer. Die Markierungen am Rand der kurvenreichen Bergstraße waren kaum zu erkennen. Aber Samo klagte nicht einmal über Müdigkeit. Vielmehr fragte er, ob ich denn gar nicht müde sei und ob ich nicht versuchen wollte, ein bißchen zu schlafen. Das tat ich. Aber ich wachte bald wieder auf; geweckt vom lauten Brummen des Lastwagens, der langsam vor uns herfuhr und Wolken von schwarzem Qualm ausstieß. Samo beschleunigte und wollte überholen. Da geriet unser Auto von der Fahrbahn ab und schoß über den Straßenrand hinaus. Wir polterten den Abhang hinunter, überschlugen uns. Ich erinnere mich, daß mir nur ein Gedanke durch den Kopf schwirrte: »Nun muß ich sterben und bin noch so jung!«

Dreimal überschlug sich der Wagen, dann blieb er liegen, aufgehalten von einem Baumstamm. Wir lebten noch. Ein köstlicheres Gefühl konnte es nicht geben. Leben, wenn der Tod so nahe schien. Das erste, was Samo tat, war, mich in die Arme zu nehmen.

»Geht es dir gut, Liebling? Geht es dir gut?« fragte er. Er zitterte und preßte mich eng an sich. »Verzeih mir; verzeih mir, meine Liebe.«

Anstatt rasch aus dem Wagen zu klettern, der jeden Augenblick die Balance hätte verlieren und den Berg weiter hinunterpoltern können, untersuchte er erst jeden Teil meines Körpers, um ganz sicher zu sein, daß ich unverletzt war. Dann erst rappelte er sich hoch und zog auch mich aus dem Auto. Da standen wir nun, hielten einander eng umschlungen und weinten. Dann schauten wir nach unten. Die Dunkelheit schien bodenlos. Die Luft duftete nach Pinien.

Lange Zeit warteten wir am Straßenrand. Es war stockdunkel, die Berge erhoben sich als scharfe schwarze Schatten in den Himmel, der voller Sterne war. Wir standen verlassen in diesem Niemandsland. Von weitem hörten wir einen Wasserfall, die Zikaden, das Rauschen des Windes in den Pinien. Wir warteten darauf, gerettet zu werden. In dieser Nacht glaubte ich an Gott. An einen Gott über uns, um uns herum, im Flüstern des leisen Windes, im unruhigen Schlagen unserer Herzen. Ein Gott ohne Religion. Und ich betete ein stilles Gebet. Ich glaubte, daß Samo und ich durch die Prüfung des Todes gegangen waren: Nun waren wir für immer vereint.

Endlich tauchte ein Lastwagen auf, und wir konnten bis nach Izmir mitfahren.

Und in dieser Nacht lernte ich kennen, was Verlangen ist.

Ich verließ mein Zimmer, schlich auf Zehenspitzen hinüber in die kleine Kammer, in der Samo lag. Im Flur hörte ich das Schnarchen meiner Mutter und konnte sicher sein, daß sie schlief.

Ich öffnete die Tür. Ich hörte ihn flüstern. »Meine Geliebte.« Ich schlüpfte aus meinem Nachthemd, das erste Mal ganz ohne Scham, so als habe die Begegnung mit dem Tod meine Scheu überflüssig gemacht.

Es war eine Feier unserer schlanken, jungen Körper. Eine Feier des Lebens.

8

Schnell hatte Samo das Herz meiner Mutter erobert. Er hat ihr in der Küche geholfen, hat das Holz gehackt, hat ihr gesagt, sie solle uns in Jugoslawien besuchen, wann immer sie wolle. Er hat sie umarmt. Und ihr die Angst genommen, die Tochter in einem fremden und verdächtigen Land zu verlieren.

Mit einigen Verwandten und den engen Freunden meiner Mutter feierten wir unsere Verlobung. Einerseits wunderten sich alle sehr über meine Entscheidung, nach Jugoslawien zu gehen, andererseits mußten sie zugeben, daß Samo der ideale Ehemann war. »Er hat ein Herz aus Gold!«

Es dauerte nicht lange, und alle mochten Samo; sie behandelten ihn wie einen türkischen Jungen, der dem Feind in die Hände gefallen war.

Einige Jahre zuvor waren viele Emigranten aus Jugoslawien gekommen, eine richtige Einwanderungswelle. Die Familien, die über die Grenze kamen, erzählten damals, sie seien einmal reich gewesen, doch das kommunistische System habe sie mit der Währungsumstellung zu armen Leuten gemacht; ihre großen Häuser und ihren Grundbesitz hätten sie verkaufen, ihre privaten Geschäfte aufgeben müssen. Diese Berichte kamen der türkischen Regierung als antikommunistische Propaganda gerade recht, denn sie versprach damals, aus der Türkei eine kleine Version der Vereinigten Staaten zu machen, mit mindestens einem Mann in jedem Kreis als Millionär.

Ich trug an jenem Abend ein Kleid aus geblümter Seide. Und ich hatte zwiespältige Gefühle. Sonst war ich der Verwandtschaft immer aus dem Weg gegangen, jetzt sollte ich mit ihnen feiern. Kaum hockten sie zusammen, hörten sie nicht auf, über lauter unwichtige Dinge zu reden und billige Witze zu reißen. Und immer kümmerten sie sich um Dinge, die sie nichts angingen, wollten sie sich einmischen in das Leben anderer. Was zu geschehen hatte, wußten sie immer schon im voraus: die Mädchen sollten heiraten, die verheirateten Frauen Mütter werden, der Ehemann hatte das Geld zu verdienen, die Ehefrau hatte ihm treu zu sein und mußte gut kochen können. Meine Verwandten hätten ihr ganzes Leben damit zubringen können, einander täglich zu besuchen und sich zum Essen zu setzen. Ihre Heimat war Ostanatolien gewesen. Sie hatten den Landbesitz aufgegeben und waren an die Westküste gezogen und dort zu Händlern geworden. An ihrem Leben konnte man ablesen, welches Tempo der Fortschritt innerhalb von drei Generationen genommen hatte. Die Großmütter trugen noch Yemenis, die Schwiegertöchter spielten schon Poker, und die Enkelinnen lernten Rock 'n' Roll. Doch so dramatisch sich der Lebensstil auch gewandelt hatte, das höchste Lebensziel war und blieb das gleiche: eine gute Partie.

Die Stimmung an diesem Abend war heiter, das Essen vorzüglich, und alle hatten ihren Spaß miteinander. Nur ich habe mich immer unbehaglicher gefühlt. Ich wollte hinaus, mit Samo in der frischen Luft spazierengehen, und wir taten das auch. Ich führte ihn einen Hügel hinauf zu einem einsamen Haus. Es hatte eine eigenartige Form, war sechseckig mit einem spitzen Dach, und an das Haus war eine seltsame Legende geknüpft.

Ein reicher Mann, so wurde erzählt, habe sich unsterblich in eine verheiratete Frau verliebt. Auf diesem Hügel hatten sie sich getroffen, wann immer sie konnten, und ängstlich hüteten sie ihr Geheimnis. Schließlich wurde die Frau geschieden, und die beiden heirateten. Der reiche Mann ließ das Haus bauen, damit ihre Erinnerungen lebendig blieben. Kurz darauf ist die Frau gestorben, der Mann hat das Haus verlassen und ist seither verschollen. Wohin er gegangen ist, wußte niemand in der Nachbarschaft. Das Haus hat seither leergestanden; aber jedem Fremden, der hierher kam, wurde diese Geschichte erzählt.

Ich habe sie Samo nicht erzählt. Vielleicht, weil ich ahnte, daß nur eine gescheiterte Liebe zur Legende gewoben wird, aber nicht die Liebe mit einem guten Ende.

Wir setzten uns auf die Gartenmauer dieses Hauses. Samo wollte reden, ich wollte lieber schweigen.

»Deine Mutter ist so gastfreundlich«, sagte er, »sie ist so tolerant.«

Ich blickte ihn kurz an und nickte zerstreut.

»Es war eine schöne Feier«, fuhr er fort.

Ich nickte und sah hinauf zu den Sternen. Seit ich ein kleines Mädchen war, habe ich zu den Sternen hinaufgeschaut, wenn mir das Leben rätselhaft vorkam und ich nicht wußte, wo mein Platz war in dieser riesiggroßen Welt.

9

Und dann fuhren wir zusammen nach Jugoslawien... Ich dränge mein Gedächtnis, diese Reise freizugeben, diese Reise im gelben Auto, vor zwanzig Jahren. So viele Reisen seither... So viele Reisen über Staatsgrenzen... Fluchten und die Suche nach einem festen Boden, wo mein Geist Verbindungen hätte aufbauen können, wo mein Körper sich hätte ohne Angst bewegen, wo meine Seele ihr Vertrauen hätte wiederfinden können, wo ich keine andere, nur ich selber sein würde... Wie eine Seiltänzerin bewegte ich mich im Zirkus der Welt.

Haben wir irgendwo Rast gemacht, bevor wir dort ankamen, wo Samo zu Hause war? Warum hat mein Gedächtnis diese Reise zwischen der bulgarischen Grenze und Jugoslawien ausgelöscht? Vielleicht, weil meine Blicke nach innen gerichtet waren, auf diesen Zwiespalt in mir, und nicht auf das, was außen geschah.

Bei Tagesanbruch fuhren wir an Weiden und Wiesen entlang. Nur Grün und Gelb in dieser weiten Ebene, Maisfelder, das sanfte Licht der aufgehenden Sonne. Lastwagen kamen uns entgegen, die Arbeiter zu den Feldern brachten. Hier und dort hatten die Menschen bereits mit der Arbeit begonnen. Ich schaute ihnen zu, mit kameradschaftlichen Gefühlen; sie wollen arbeiten, dachte ich, sind bereit, zum Wohl der Gemeinschaft beizutragen. Sie waren gesund (die Gesundheitsfürsorge war kostenlos) und mußten sich keine Sorgen um ihre Kinder machen (denn die Kinder wurden in den Kinderkrippen versorgt). Ich glaubte, daß sie alle lachten, selbst so früh am Morgen.

Heute frage ich mich, ob nicht ich es war, die dies Lachen in ihre Gesichter malte. Oder haben sie tatsächlich gelacht, an diesem frühen Morgen, meinem ersten Morgen in einem sozialistischen Land? Das Lächeln und die Farben verblaßten dann, als wir durch die erste Stadt fuhren. Es war Pristina, die Stadt, die sich so unregelmäßig an den Hängen über der Ebene des Kosovo entlangzog und die mich an die armen Städte Anatoliens mit ihren klapprigen Bussen erinnerte, und voller Erstaunen sah ich plötzlich die alten Männer mit weißen Käppchen und weiten Hosen.

»Albanier«, erklärte Samo.

»Komisch, daß sie in einem sozialistischen Land solche Kleider tragen«, sagte ich.

Samo erklärte mir, daß nur die alten Männer an ihren Traditionen festhielten, die Jungen nicht mehr. Ich konnte sehen, wie sich Müdigkeit in die feinen Züge seines Gesichts schlich. Aber dann kamen wir an eine kleine Bäckerei, und er hielt den Wagen an, sprang hinaus, lief in die Bäckerei. Ich sah, wie er einen dicken Mann in dunklem Anzug umarmte. Sie plauderten fröhlich, dann deutete Samo zum Auto, und der Mann winkte mir zu. Samo kam zurück mit einer Tüte voll frischem Gebäck.

»Mein Freund«, sagte er und meinte den Mann. »Ein komischer Kauz. Drucker von Beruf. Er hatte einen eigenen Betrieb. Er arbeitet auch für die Universität von Pristina, wenn man ihn ruft.«

Er reichte mir die Papiertüte mit dem warmen Gebäck, es duftete süß nach Butter und Mehl. Das feste Gebäck zerging uns im Mund, und ein köstlicher Geschmack blieb zurück.

In festlicher Stimmung und Kuchen kauend verließen wir Priština und fuhren einem Fluß folgend weiter das Tal entlang.

»Die Sitnica«, sagte Samo. Nach einer Weile deutete er nach links hinüber, auf ein kleines Bauwerk aus Stein, das aussah wie ein Denkmal. Zur Erinnerung an die Schlacht von Kosovo, sagte er. »Hier hat die osmanische Armee die Serben besiegt.«

»Kosovo bedeutet Amselfeld«, erklärte er, und dies sei das ›Feld der Amsel‹. Genau hier, an dieser Stelle, im Juni 1389, hätten die osmanischen Legionen unter Sultan Murat 1. den Fürsten Lazar von Serbien und seine Verbündeten geschlagen. Der Fürst und auch der Sultan seien gefallen, und damit begannen fünfhundert Jahre osmanischer Herrschaft.

Ich hörte ihm zu, aber ich fühlte mich nicht verwandt mit den Osmanen. Ihre Legionen waren mir so fremd wie die französische oder die britische Armee eben Soldaten, die Schwerter, Schilde und Banner schwingen.

Wir fuhren hinein in Samos Heimatstadt. Riesentransparente mit Bildern von Marx, Lenin und Tito waren über die Hauptstraße gespannt. Ich mußte an die Studenten in der Türkei denken, die verfolgt wurden, weil sie solche Porträts an den Wänden ihrer Zimmer aufgehängt hatten. Das Herz wurde mir schwer unter der Last dieser Erinnerung.

Als wir den Hauptplatz überquerten, winkten uns viele Menschen zu.

»Sie müssen alle von unserem Unfall und von der Verlobung gehört haben«, sagte Samo, und sein müdes und blasses Gesicht strahlte vor Freude. »Nachrichten verbreiten sich hier wie Buschfeuer.«

Wir fuhren über eine Brücke und eine Straße hinauf, die von Gärten und Villen gesäumt war. Am Gipfel des Hügels hielt Samo an.

»Da wären wir.«

Ja, da waren wir. Wir waren angekommen vor Samos Haus. Einer weißgetünchten Villa mitten in einem großen Garten.

Vor dem Eingang empfing uns eine hochgewachsene, stattliche Frau, Samos Mutter. Sie hatte kurzes, rotblond gelocktes Haar, große blaue Augen und einen großen kräftigen Mund.

Sie schloß mich in ihre Arme, als sei sie nach langen Jahren der Trennung einem nahen Freund, einer nahen Freundin wiederbegegnet. Wieder und wieder umarmte sie Samo, schaute ihn eingehend an, um zu sehen, ob er den Unfall tatsächlich heil überstanden habe.

Wir betraten das Haus. Es war bürgerlich modern eingerichtet. Im großen Wohnzimmer blieben meine Blicke an Kupferkrügen, gewebten Wandteppichen, die den Bosporus zeigten, und anderen Dekorationsstücken hängen, wie man sie im alten Basar von Istanbul kaufen kann.

Samo führte mich zum Zimmer seines Vaters. Der Vater war ein kleiner Mann mit einem zerfurchten Gesicht, eine ganz andere Erscheinung als diese großgewachsene, kräftige Frau von fieberhafter Vitalität. Er trug einen dunklen Anzug. In seinem Zimmer stand ein großer Schreibtisch aus Holz, ein Telefon, Holzstühle und ein schmales Bett. Die Regale waren voller schwarzer Akten. Ich war überrascht, daß ein Minister in einem so winzigen, spartanischen Zimmer wohnen konnte.

Er küßte mich auf beide Wangen und sprach nur ein einziges türkisches Wort: »Hoş geldiniz – Willkommen.«

Er gesellte sich nicht dazu, als die Verwandten, verschwenderisch mit ihren Umarmungen und ihrem Lachen und in einem altmodischen Türkisch miteinander sprechend, sich im großen Wohnzimmer versammelten, um Samos Heimkehr mit einer türkischen Braut zu feiern.

Es war schon spät, als Nuri das Zimmer betrat.

»Mein Bruder«, sagte Samo und sprang auf.

Nuri, mit seinem buschigen rotblonden Haar, einem langen Gesicht und breiten Schultern sah seinem Bruder nicht ähnlich. Er war kleiner als Samo. Mit einem dünnen

Lächeln auf den vollen Lippen schritt er in die Mitte des Zimmers. Intensiv schaute er mich mit seinen blauen Augen an. Die Brüder umarmten sich.

»Arme und Beine, alles noch dran? Nichts zurückgelassen?« sagte er und nahm Samo prüfend in Augenschein.

Alle lachten. Ich stand auf und wartete, daß er auf mich zukam. Mit großer Herzlichkeit schüttelte er mir die Hand. »Willkommen, Scheherezade.«

Ich war einen Augenblick lang verblüfft, während wieder alle lachten.

»Bist du nicht die Prinzessin aus Tausendundeiner Nacht?« fuhr er fort.

Sein fröhliches Draufgängertum schüchterte mich ein.

Nachdem die Gäste gegangen waren, wollte Samos Mutter mit mir alleine sprechen.

»Willst du in meinem Zimmer schlafen, bis du verheiratet bist?« fragte sie mit fürsorglichem Blick.

Ich brauchte einen Augenblick, um meine Hemmungen zu überwinden.

»Nein. Es ist nicht notwendig.«

Sie starrte mich verblüfft an.

»Wir schlafen miteinander«, sagte ich.

»Ja, wenn das so ist...«

Sie ging mit ihren energischen Schritten hinüber zum Sofa am anderen Ende des Wohnzimmers und verwandelte es rasch in ein Doppelbett.

»So, da ist euer Bett. Schlaft gut und träumt schön.«

Bevor sie die Tür erreichte, wandte sie sich um und sagte zu Samo etwas auf Serbokroatisch. Anscheinend bat sie ihn um etwas. Und Samo, so kam es mir vor, willigte ein.

Es war fast Mitternacht. Endlich war ich mit Samo allein in einem Zimmer. Er nahm mein Gesicht zwischen seine Hände und schaute mir in die Augen.

»Gefällt es dir hier?«

»Ja«, antwortete ich.

»Wir werden nach der Hochzeit unsere eigene Wohnung haben.«

»Gut…«, murmelte ich und versuchte, nicht enttäuscht zu sein, daß wir bis dahin in diesem Haus bleiben und im Wohnzimmer schlafen mußten.

Wir hielten einander einen Augenblick lang ruhig in den Armen, müde, verwirrt, glücklich.

Am Morgen wurde ich von der quengelnden Stimme eines kleinen Jungen geweckt, der Serbokroatisch sprach. Samos jüngerer Bruder. Eine Tür wurde zugeschlagen, dann herrschte wieder Stille.

Da bin ich also, sagte ich zu mir, in einer Stadt, die Vitche heißt. Ich bin im Ausland, ich bin in Europa. In einem sozialistischen Land. Und ich bin mit Samo zusammen. Mit Samo… Ich lag auf der Seite, schaute in Samos Gesicht, in sein schmales Gesicht mit der hohen Stirn, mit der reinen Haut, mit diesen feinen Zügen. Auch im Schlaf war sein Gesicht freundlich. Als wäre er auch in seiner Traumwelt nur glücklich. Keine Alpträume. Das Gesicht eines Mannes, der leicht zu Entscheidungen findet. Lange schaute ich ihn an, wollte ihn nicht wecken. Aber es klopfte an der Tür, und Samo öffnete plötzlich die Augen, als habe er einen Wecker gehört. Er antwortete auf Serbokroatisch. Es war seine Mutter.

Er drehte sich mir zu. Wir lächelten.

»Guten Morgen.«

»Hast du gut geschlafen?«

»Ja. Und du?«

»Wir werden jetzt aufstehen und in Ruhe frühstücken. Sie werden alle längst fort sein.«

In der Küche wartete der gedeckte Frühstückstisch auf uns. Bauernbrot, Butter, Salami und in Olivenöl eingelegte rote Peperoni. »Rote Peperoni, eingelegt?« sagte ich überrascht.

»Eine nationale Spezialität«, sagte Samo.

Auf der Anrichte stand dampfend ein großer Samowar aus Messing und verlieh der sauberen, kalten Küche eine heimelige Atmosphäre. Bevor wir uns an den runden Tisch setzten, goß Samo Tee aus der Porzellankanne in ein drittes der schönen goldgeränderten Teegläser.

»Für meinen Vater«, sagte er und blinzelte mir zu.

»Frühstückt er nie mit euch?« fragte ich.

»Nein. Er frühstückt nie und er setzt sich nie in die Küche.«

Ich hörte, wie er an die Tür zum Zimmer seines Vaters klopfte.

Nach dem Frühstück räumten wir zusammen auf. Samo sagte, wir müßten nun zum Standesamt.

»Wir können an einem anderen Tag gehen«, sagte ich.

»Es ist der einzige Morgen, an dem ich noch frei habe«, sagte er. »Sonst muß ich mich jeden Morgen beeilen, damit ich um sieben Uhr in der Fabrik bin.«

»Um sieben schon? So früh? In der Türkei müssen nur die Arbeiter so früh anfangen, die Ingenieure kommen um neun«, sagte ich.

Und wie ich so an diesem runden Tisch saß, den Duft der eingelegten Peperonis genoß, durch das Fenster, das vom Dampf des Samowar leicht beschlagen war, in die Äste des Kastanienbaumes schaute, da war mir, als wäre es nun soweit und das neue, gemeinsame Leben hätte begonnen.

Hand in Hand verließen wir das Haus, gingen die steile Straße hinunter. Zwei Frauen, die eine alt in einer weißen Yemeni, die andere jung und rundlich, riefen uns in ihren Garten.

Wir wurden ins Haus gebeten, in ein sauberes und ordentliches Zimmer mit modernen Möbeln, und die junge Frau stellte uns Crème-de-Menthe und Schokolade hin. Meine Blicke fielen auf ein Photo, das an der Wand hing. Es zeigte einen kleinen Mann in einem dicken übergroßen Anorak und einer Wollmütze.

»Nächsten Samstag wird er hier sein, für eine Woche«, sagte die junge Frau mit den funkelnden Augen.

»Ihr Mann ist in Deutschland«, erklärte Samo.

»Zu Besuch?« fragte ich.

»Nein, er arbeitet dort.«

»Er hat versprochen, ein Tonbandgerät mitzubringen«, sagte die junge Frau begeistert. »Ist das nicht wunderbar?

Dann kann er unsere Stimmen hören, wenn er im Ausland ist, und wir die seine.«

Als wir gingen, berührte mich die junge Frau am Arm.

»Ich hoffe, es wird dir hier gefallen«, sagte sie mit einem leichten Zweifel hinter ihrem sanften Lächeln.

Wir gingen weiter die Straße hinab und mußten immer wieder stehenbleiben, um mit Menschen zu plaudern. Jedesmal erklärte Samo, daß wir im Standesamt erwartet würden. Und überall spürte ich dieselben Zweifel hinter ihrem gutmütigen Lächeln. »Ob sie es bereuen wird, hierher gekommen zu sein?«

An jenem Morgen stellte ich mir diese Frage nicht, ich fühlte mich sicher in dieser kleinen friedlichen Stadt.

Auch als wir die Einkaufsstraße entlangspazierten, hielten uns viele Menschen an, wollten mit uns sprechen, ein aufgeregtes Händeschütteln und Schulterklopfen. Nur wenige sprachen Türkisch, ein gebrochenes, antiquiertes Türkisch, das sie wie ein Andenken in einer entfernten Ecke ihrer Erinnerung bewahrten.

Diese Straße, eine langweilige, gewöhnliche Straße, gesäumt von winzigen Geschäften, deren Schaufenster fast leer waren, ein paar altmodische Kleider und elektrische Geräte standen darin, ist in meiner Erinnerung lebendig als der Ort eines lebhaften Austauschs von Worten, Lächeln, Blicken... Abends gab es außer einem Spaziergang die lange bescheidene Straße hinauf und wieder hinunter kaum andere Unterhaltung in dieser Stadt, keine Kinos, keine Bistros, kein Tanzlokal. Die jungen Leute spazierten meistens in Gruppen, stellten die Eleganz der Provinz zur Schau, neckten einander, flirteten miteinander, blieben stehen und unterhielten sich angeregt. Wie erleichtert war ich, daß hier keine Polizisten, keine Soldaten mit Gewehren zu sehen waren, daß man sich hier nicht ständig um die Politik kümmern mußte.

Eines Abends, als wir im abendlichen Gewühl auf und ab gingen, zeigte Samo auf ein Kleid, das im Fenster eines kleinen Textilladens hing. »Soll ich es dir kaufen?«

»Nein. Danke.«

Das Kleid war nichts Besonderes. Ein Kleid, wie es bürgerliche Hausfrauen tragen.

Ich lehnte das Kleid ab, aber als er mir ein Paar Schuhe kaufen wollte, nahm ich sein Angebot an. Es wurden solide schwarze Lederschuhe. Ein alter Mann hat sie angefertigt, ein Schuster in einer schweren schmutzigen Schürze und mit einer schwarzgeränderten Brille. Er hat uns in seinen winzigen Laden gebeten, als seien wir zwei Kinder bei einem Spiel. Er bot uns Stühle an und Bonbons. Er nahm das Maß meiner Füße und zeichnete ihre Umrisse auf ein Stück Pappe. Dann blinzelte er mich an und machte eine lustige Geste, schloß Daumen und Zeigefinger zu einem Kreis, um mir anzudeuten, daß er sein Bestes geben werde für mich.

Eine Woche später holte ich meine Schuhe ab und hatte das Gefühl, daß sie ewig halten würden und ich sie niemals durchlaufen könnte. Die Erinnerung an ein derart solides Paar Schuhe bewahrte ich, auch als ich sie längst in einer Istanbuler Mülltonne versenkt hatte.

Wir richteten uns ein im Haus von Samos Eltern, und so begann sich unsere Beziehung zu verändern. Eine tiefere Vertrautheit trat an die Stelle des Verliebtseins. Wir mußten das Licht nicht mehr löschen, bevor wir uns auszogen. Wir fielen einfach ins Bett und wickelten uns ineinander.

Samos Haut war glatt, sein Körper geschmeidig. Die Lust kam friedvoll. Groll und Leidenschaft in der körperlichen

Liebe habe ich erst später erlebt. Mit Samo entdeckte ich das Sanfte der Liebe, mit ihm war es, als würden wir gemeinsam duftendes Obst essen.

10

Samos Mutter war der Ansicht, daß ich im Haus ein langes rotes Kleid tragen sollte.

»Aber warum?« fragte ich.

»Weil du eine Braut sein wirst, und weil es eine tscherkessische Sitte ist«, sagte sie.

Wir saßen Kartoffeln schälend am Küchentisch und für eine ganze Weile schwiegen wir.

»Nach der tscherkessischen Sitte trägt die Braut vor und nach der Hochzeit ein langes rotes Kleid«, sagte sie noch einmal mit großem Ernst. »Sie setzt sich neben die Tür des Hauses und bietet den Gästen Tee oder Kaffee an. In manchen Familien wird erwartet, daß die Braut aufsteht, wenn Besucher oder Familienmitglieder ins Zimmer treten – und daß sie stehen bleibt. Aber das erscheint mir dann doch zu streng.«

Sie lächelte leicht.

»Ich hätte nicht gedacht, daß es hier noch solche Sitten gibt«, sagte ich.

»Warum nicht?«

»Weil ich dachte… in einem sozialistischen Land…«

Sie unterbrach mich.

»Meinst du, da braucht man keine Traditionen?«

Ich zögerte einen Augenblick und sagte dann: »Ja, das habe ich gedacht.«

»Und warum?«

»Weil... weil Traditionen nicht mit den Idealen des Sozialismus zu vereinbaren sind.«

»Na, du hast aber komische Vorstellungen vom Sozialismus«, sagte sie sarkastisch. »Glaubst du denn, man braucht im Sozialismus keine Identität?«

»Identität... Was ist Identität?

»Es ist die Bindung an die Familie, an die eigene Gemeinschaft. An die Vergangenheit«, sagte sie mit selbstsicherem Ton.

»An die Vergangenheit... an die Vergangenheit...« stammelte ich und hatte das Gefühl, keine zu besitzen. Es gab keine Vergangenheit, auf die ich mich beziehen konnte. Ich hatte das Gefühl, daß nicht nur ich, auch alle meine Freunde, meine ganze Generation keine Vergangenheit hätten. Wir haben die Vergangenheit verurteilt. Es war die Vergangenheit der Osmanen, nicht die unsere. Wir wollten eine eigene Welt schaffen, eine neue Welt, und die Vorbilder, an denen wir uns orientierten, waren die Studenten in Paris, in Berlin und in Lateinamerika.

»Hattet ihr zu Hause denn nicht eure Traditionen?« fragte sie.

»Ich habe sie ignoriert. Ich wollte unabhängig sein.«

»Was meinst du mit ›unabhängig‹? Vor allem anderen stehen unsere Bindungen und Verpflichtungen.« Sie erhob sich, sammelte die geschälten Kartoffeln ein und nahm eine große Pfanne vom Haken.

Ich fragte, ob es noch etwas zu tun gäbe.

»Nein. Ich werde dies zusammen mit den Möhren kochen, und dann werden wir einen schönen Gulasch haben.«

Sie klang versöhnlich.

Als ich gerade die Küche verlassen wollte, hörte ich sie

in freundlichem Ton sagen: »Also. Fahren wir morgen nach Skopje und besorgen einen schönen Stoff für dein Kleid?«

Ich drehte mich um und starrte sie kurz an.

»Wenn du willst…« sagte ich und schloß leise die Tür hinter mir.

11

»Ich habe mir immer eine Tochter gewünscht«, sagte sie, während wir in Skopje untergehakt durch eine schmale Gasse spazierten, an alten, gedrängt stehenden Häusern vorüber, mit den verzierten Balkonen, den Holzläden, alles Spuren der Osmanen…

»Ich habe drei Söhne zur Welt gebracht, und jetzt habe ich eine Tochter«, sagte sie mit einem breiten Lächeln und großer Vertrautheit.

»Ja.«

Ich lächelte zögernd. Ihr Gang war sehr aufrecht und herausfordernd, und ich fühlte, wie sie mich hineinführte in ein neues Leben in unbekannter Umgebung. Sie hatte die Würde einer Gutsherrin. Ich fühlte mich eingeschüchtert von ihr und zugleich unterstützt. Über eine Schwiegertochter schien sie sich zu freuen, als würde das ihre weibliche Macht ausdehnen. Von jetzt an stünden wir Schulter an Schulter und würden uns bestärken in unserem Frau-Sein. Würden zusammen das Nest richten, und ich würde ihr die Enkelkinder schenken, nach denen sie sich sehnte. Doch in meine Bewunderung für sie mischten sich Zweifel. Ich mußte meine eigenen Grenzen verteidigen; ich fühlte das stärker, als ich es je bei meiner Mutter gefühlt hatte. Meine Mutter hatte mir Raum zugestanden, sie ließ mich in meiner ungestümen Jugend gewähren, förderte meine Schulbildung und akzeptierte meine Wißbegierde. Samos Mutter war anders. Sie war wie eine Herrscherin über ein uraltes Territorium, und wenn ich hier wirklich seßhaft werden sollte, würde sie mich begrüßen und verwöhnen. Doch müßte ich ihre und meine Rolle akzeptieren... Ja, während wir untergehakt durch die gepflasterten Straßen von Skopje spazierten, ahnte ich, daß es zwischen uns zu einem Kampf kommen würde. Sie hatte die Waffen einer Fürstin, ich die einer jungen Frau, die sich selbst finden wollte.

Wir betraten einen engen und düsteren Laden. Der Ladenbesitzer war offenbar ganz aufgeregt über unseren Besuch. Er sprang auf, gab erst ihr und dann mir die Hand. Sie unterhielten sich in ihrer Sprache, und er zeigte mir einen Ballen hellroten Satins. Sie fragte mich, ob mir der Stoff gefiele. Ich nickte unbeteiligt. Ich dachte, ich könnte ihre Regeln solange akzeptieren, bis wir aus ihrem Haus ausziehen würden.

12

Jetzt schlafen sie. Nuri und seine Frau. Sie haben sich aneinandergelehnt, sein Kinn ruht an ihrem Kopf. Vielleicht ist sie nicht seine Frau, doch trägt sie einen goldenen Ring. Vielleicht ist sie die Frau eines anderen. Ich bin mir sogar sicher. Sie hat etwas Verschwiegenes um sich, die Erregung der Schuld. Ich glaube, sie werden in Zagreb aussteigen. Ich starre Nuri an. Sein Gesicht hat nichts jugendlich

Leuchtendes mehr. Doppelkinn, geschwollene Augenlider, Bauch, die Folgen des Alkohols. Er sieht nicht aus, als sei er zufrieden mit seinem Leben, das wohl auch nicht leicht gewesen ist. Nein, er wirkt noch immer so ruhelos wie damals... Vor zwanzig Jahren, als er in einer Fabrik arbeitete, in der Autobatterien produziert wurden. Damals war er wild und kämpferisch. Ganz anders als Samo machte er sich um gute Manieren keine Gedanken. Er verbrachte nur wenig Zeit mit seiner Familie. Die beiden Brüder waren wirklich gegensätzlich, das sehe ich erst jetzt. Samo sanft und elegant, Nuri herausfordernd, rechthaberisch und trotzig. Und als er mit der Frau gesprochen hat, habe ich das ironische Lächeln auf seinen vollen, geschwungenen Lippen wiedererkannt. Die Frau...

Sie hatte einen wohlgeformten Körper und ein volles Gesicht. Eine Frau, die ihre Weiblichkeit nicht verbarg. Sie grüßte Samo mit einem verhaltenen Lächeln. Samo hielt sie an. Sie gaben sich die Hand. Daß Samo sie mir mit ihrem Vornamen vorstellte, schien ihr nicht recht zu sein. Sirlanka. Sie wechselten ein paar Worte, die ich nicht verstand. Ich spürte den Stachel des Neids in meinem Herzen. Es war eindeutig, daß sie weder eine Verwandte noch eine Bekannte war. Sie hatte etwas, das ich nicht hatte. Sie sagte »Auf Wiedersehen« und ging elegant davon.

Wir setzten unseren Spaziergang fort, aber Samo war nachdenklich geworden. Ich wunderte mich darüber, daß er mir nicht sofort sagte, wer diese Frau gewesen sei. Doch als wir die Einkaufsstraße verließen und den Hügel hinaufgingen, begann er zögernd zu sprechen.

»Ich möchte dir etwas erzählen. Kannst du es bitte für dich behalten?«

»Natürlich. Wenn du es möchtest.«

»Die Frau, die wir getroffen haben…«

»Ja…«

Er ahnte meine Befürchtungen und lächelte.

»Sie ist Nuris Geliebte.«

»Wirklich?« fragte ich beruhigt und erregt. »Und was soll daran so schlimm sein?«

Bevor er antwortete, schaute er sich verstohlen um.

»Sie ist verheiratet.«

»Verheiratet? Verheiratet und…«

»Ja, verheiratet und hat eine Affäre mit Nuri.«

»Das ist nicht gut«, sagte ich mit prüder Selbstgerechtigkeit und nahm damit Rache an dieser attraktiven Frau.

Samo nickte, dann neigte er sein Gesicht zu meinem und flüsterte: »Und damit nicht genug, ihr Mann ist Albaner…

Albaner lassen es nicht auf sich sitzen, wenn man sie betrügt.«

»Wirklich?« Nach einer Zeit murmelte ich: »Aber warum dann? Warum hat er sich ausgerechnet mit ihr eingelassen?«

Jeden Morgen um sieben Uhr (auch am Sonntag) verließ Samo, nachdem er ein Glas Tee getrunken hatte, das Haus und fuhr zur Fabrik. Sie lag außerhalb der Stadt, war die größte dieser Art im ganzen Land, ausgezeichnet mit der Marschall-Tito-Medaille. »Ich liebe Tito mehr als meinen Vater«, hat Samo mir einmal gesagt, und seine blauen Augen, die oft gerötet waren von den Dämpfen der schmelzenden Metalle, leuchteten glücklich.

Einmal hat er mich dorthin mitgenommen. Ausländern war der Zutritt verboten, aber der Pförtner erlag Samos Charme; Samo hatte ihm gesagt, ich sei seine Braut, und er wolle mir seinen Arbeitsplatz zeigen. Mit einem Scherz ließ mich der Pförtner passieren.

Wir überquerten einen großen, mit Beton gedeckten Hof und betraten eine der Hallen. Arbeiter; die überrascht waren, mich dort zu sehen, lächelten und hoben eine Hand zum Gruß. Samo zeigte mir die Gesteinshaufen, purpurfarbene und rote Erze und Mineralien, die riesigen Tiegel, in denen die Metalle zum Schmelzen gebracht wurden. Männer mit Schutzbrillen rührten mit riesigen Löffeln in der schweren Flüssigkeit, rührten stark saure Dämpfe an die Oberfläche, und überall waren Rauch und eine unvorstellbare Hitze. Ich fragte mich, wie Samo alle seine Tage dort so willig arbeiten konnte, ohne sich zu beklagen, sogar am Sonntag in freiwilligen Schichten. Was war es, frage ich mich heute, das ihm diese optimistische Energie gegeben hat? Woher rührte sein Altruismus? Die Fabriken gehörten der Genossenschaft, erklärte er mir; und nicht dem Staat, wie in anderen sozialistischen Ländern. Arbeiterkomitees bestimmten den Vertrieb und die Löhne. »Wir leben und arbeiten in einer wirklichen Demokratie, dank Tito«, sagte er mit feierlichem Nachdruck.

Samos Vater flößte mir Respekt ein, auch ein bißchen Angst. Am Alltag der Familie beteiligte er sich nicht, als sei alles, womit er sich beschäftigte, weit erhaben über das Familienleben. Mit seinen Worten war er sehr sparsam, auch seiner Frau und seinen Kindern gegenüber, und ich habe nie gehört, daß er die Stimme hob. Immer lag ein feines Lächeln auf seinem schmalen abgearbeiteten Gesicht.

Eines Morgens hielt ein glänzendes schwarzes Auto vor dem Haus. Ein Mann in einem dunklen Anzug wurde von Samos Vater mit offensichtlicher Ehrerbietung begrüßt. Als ich an seiner Tür vorbeiging, hatte ich das Gefühl, daß dahinter etwas Bedeutendes und Geheimnisvolles verhandelt würde.

Als ich Samo von dem Besuch erzählte, fragte er mich, ob ich das Nummernschild gesehen hätte. Nein, das hatte ich nicht. Er sagte, der Besucher sei wahrscheinlich ein Minister der Belgrader Bundesregierung gewesen. Sein Vater arbeitete nicht mehr für die Bundesregierung, denn die Mehrheit der Albaner im Kosovo hatte sich gegen ihn gewendet, weil er sie in ihren Autonomiebestrebungen nicht unterstützte. (Einige Jahre später gewährte Tito dem Kosovo tatsächlich Autonomie.)

Soweit ich mich erinnern kann, haben Samo und ich nicht viel über jugoslawische Politik gesprochen. Nein, bestimmt nicht. Vielleicht wollte er mich nicht beunruhigen und sprach deshalb nicht von den Konflikten. Und ich, die den gewalttätigen Auseinandersetzungen in der Türkei entflohen war, habe ihn auch nicht zu politischen Gesprächen ermutigt. Damals jedoch habe ich zu schreiben begonnen. Ich begann, ein Tagebuch zu führen.

Eines Morgens, als ich am Eßtisch sitzend in mein Tagebuch schrieb, überraschte mich Nuri, der seinen Kopf plötzlich durch die Tür steckte.

»Ein Liebesbrief?« fragte er spöttisch.

»Mein Tagebuch…«, stammelte ich.

»Gut… sehr gut. Da kannst du gleich hineinschreiben: Heute hatte Nuri Streit mit seinem Chef.«

Ganz selbstverständlich setzte er sich an den Tisch, ließ aber zwei Stühle zwischen uns frei.

»Tatsächlich?« sagte ich.

»Ja. Ich hatte Streit mit dem Leiter.«

»Und warum?«

»Weil... weil ich ein Rebell bin«, sagte er mit einer theatralischen Geste, »und der Leiter toleriert keine Widerrede.«

»Ich dachte, die Arbeiter würden die Fabrik verwalten, nicht der Leiter«, sagte ich.

»Der Chef hat das letzte Wort, der Chef! Von Belgrad geschickt, ein Serbe, der Albaner nicht leiden kann.«

»Aber Samo sagte mir...«

Er unterbrach mich. »Samo spricht in der Sprache des Staats«, sagte er ein wenig abschätzig. »Für ihn ist alles richtig, was der Staat tut.«

Er zündete sich eine Zigarette an und hielt mir die Schachtel hin.

Ich stand auf, ging hinüber zu ihm und nahm mir eine Zigarette. Während er mir mit seinem metallenen Feuerzeug Feuer gab, nahm ich seinen Geruch wahr. Er roch anders als Samo. Er roch nach Staub, nach Straße, nach der Welt da draußen. Es war der Geruch eines Mannes, der kämpfen und laut werden konnte. Ich fühlte so etwas wie Erregung in mir aufflackern, als ich dicht bei ihm stand, mich über die Flamme seines Feuerzeugs beugte, hinunter zu seiner grob wirkenden Hand. Ich ging zurück zu meinem Stuhl.

»Nach dem Streit bin ich gegangen«, fuhr er fort. »Meinen Kollegen habe ich gesagt, daß mir schlecht ist. Jetzt muß ich ins Krankenhaus, damit die mich für drei Tage krankschreiben.«

Er schwieg einen Moment.
»Sag meinem Vater nichts davon…«
»Nein, nein«, versicherte ich flüsternd.
Er starrte mich ganz seltsam an.
»Langweilst du dich nicht?« fragte er trotzig. »Hier, in dieser verfluchten Stadt… Kein Kino, keine Konzerte, keine Abwechslung?«
»Es geht mir gut«, sagte ich und versuchte, seinem Blick auszuweichen.
»Samo wird Ausflüge mit dir machen. Am Wochenende, oder? Nach Skopje, nach Zagreb, nach Dubrovnik. Das reinste Paradies dort.«
»Wird er wohl tun. Später.«
Er schlug sich mit der Hand auf den Schenkel: »Kann der Kerl doch die Arbeit nicht lassen!«
Ich schaute ihn unsicher an und versuchte, die in mir aufkeimende Faszination zu unterdrücken.

Er stand auf, und bevor er die Tür erreicht hatte, drehte er sich noch einmal um und flüsterte mir fröhlich zu: »Drei Tage… Ich werde sie im Bett verbringen wie ein König. Und abends werde ich ausgehen.«
Er lachte triumphierend.
Doch Nuri hat die drei Tage nicht wie ein König im Bett verbracht. Er verschwand vielmehr mit Samos Auto.

Samo nahm an, er sei nach Dubrovnik gefahren, seine serbische Freundin besuchen. Seiner Mutter hatte Nuri allerdings gesagt, er wolle nach Zagreb fahren, eine neue Stelle suchen.

Drei Tage lang war das Gesicht der Mutter wie in einen Schleier gehüllt. Ich konnte mir denken, daß sie sich Sorgen machte um Nuri und enttäuscht war. Am dritten Abend, es war schon spät, und wir saßen alle um den Tisch versammelt beim Essen, ging überraschend die Tür auf, ganz langsam, und da stand er: Nuri – steckte seinen Kopf durch den schmalen Schlitz zwischen Tür und Rahmen.

»Hallo! Bürger!« rief er.

Er sah aus, als trüge er ein glückliches Geheimnis im Herzen.

Am nächsten Morgen ging er wieder zur Fabrik.

13

Es war Sonntagnachmittag. Die Sonne schien, nur hin und wieder verschwand sie hinter leichten Wolken. Es herrschte ungewöhnlich schönes Wetter für diese kalte und regenreiche Gegend. Samo, Nuri und ich saßen auf der Terrasse eines Cafés, weiße Rosen blühten, und Weiden hingen über dem schäumenden Fluß. Das Café war voller junger Menschen in dicken Anoraks, die sich angeregt auf Serbokroatisch miteinander unterhielten. Wir waren die einzigen, die Türkisch sprachen.

»Viele Leute von hier wollen ins Ausland, aber bis jetzt hat noch niemand aus dem Ausland hierherkommen und hier leben wollen«, sagte Nuri. Offenbar fand er es völlig unglaublich, daß ein Mädchen wie ich gekommen war und ausgerechnet in dieser Stadt leben wollte, nur wegen Samo.

»Ich will weg von hier«, sagte er, »weit weg.«

Ich schaute ihn an, sah diesen jungen Mann, den eine unruhige Seele antrieb und ihn aufbegehren ließ.

»Wohin du auch gehst, du wirst zurückkommen, hierher, nach Hause zurückkommen«, sagte Samo und lächelte weise, »ich weiß, wovon ich rede. Ich war in New York und ich habe Heimweh gehabt.«

»Ich auch«, sagte ich.

»Ich wünschte mir, ich wäre dort. Ich hätte die Gelegenheit genutzt und alles getan, um dort bleiben zu können, ganz bestimmt«, sagte Nuri.

»Denkst du, die Menschen dort sind glücklicher als wir?« fragte Samo.

»Ich weiß nicht, wie es den anderen geht, aber ich wäre dort bestimmt viel glücklicher.«

»Nur wenn du reich wärst«, sagte Samo, »arme Leute gibt es dort in Massen. Menschen, die in Mülltonnen nach Essensresten suchen.«

»Und hier, meinst du, gibt es keine Armut, keine Diskriminierung? Und was ist mit den Albanern, die nach Ljubljana fahren müssen, um dort als Müllwerker zu arbeiten, weil sie hier keine Stelle finden, und weil die Slowenen in Ljubljana keine Lust haben, ihren Müll selbst wegzufahren.«

»Es dauert seine Zeit, bis die Gleichheit durchgesetzt ist. Und ich bin mir sicher, daß es eines Tages soweit sein wird.«

»Du bist dir sicher, aber ich nicht«, sagte Nuri, »weißt du, was der Unterschied ist zwischen Amerika und hier?« Er lächelte ironisch. »Dort kannst du träumen. Kannst davon träumen, eines Tages reich zu sein, erfolgreich zu sein. Hier kannst du das nicht.«

»Das kommt darauf an. Das kommt darauf an«, sagte Samo, der die Diskussion abbrechen wollte.

Wir schwiegen und schauten auf den Fluß, nippten an unserem türkischen Mokka. Da saß ich, zwischen den beiden Brüdern. Obwohl mir Samos Optimismus gefiel, hatte mich Nuris offene Opposition berührt. Er und ich hatten etwas gemeinsam. Wir hatten nicht die Ruhe, die Ausgeglichenheit von Menschen wie Samo; von Menschen, die ihr Glück finden im Dazugehören. Ja, an diesem Nachmittag dachte ich, daß ich vielleicht sogar mehr mit Nuri gemeinsam hatte als mit Samo, obwohl ich sicher war, daß das Glück im Zusammensein mit ihm lag.

Nuri ging zu Freunden an einen anderen Tisch; ich schaute weiter auf den Fluß, auf den Hügel drüben und das riesige Denkmal, das dort oben in den Himmel ragte. Samo spürte meine Melancholie. Und im diesigen Licht der Sonne schmiegte er sein Gesicht an meines.

»Ich liebe dich so sehr«, flüsterte er; »ich könnte sterben für dich.«

Ich fühlte mich überwältigt, von ganz starken, von widerstreitenden Gefühlen...

Oft ist mir später dieser Nachmittag durch den Kopf gegangen. Niemand hat mir je wieder gesagt, er würde für mich sterben. Das hat nur Samo gesagt. Und wenn es ein anderer gesagt hätte, ich hätte ihm nicht geglaubt. Aber an diesem Nachmittag, ja, da glaubte ich Samo. Und ich meinte, nie von seiner Seite weichen zu können, so sehr glaubte ich an ihn.

Samo schlug vor, daß wir hinauffahren sollten, dorthin, wo das riesige Denkmal in den Himmel ragte. Als wir den belebten Platz überquerten, wies er auf einen Wohnblock. »Die Wohnung dort oben, im sechsten Stock, das wird bald unsere sein.« Er wiederholte es mehrfach.

Während der Fahrt zum Denkmal wies er auf ein riesiges Metallrohr, das im Licht glänzte. Das, erklärte er, sei das Rohr, durch das mineralische Stoffe von der Fabrik, in der er arbeitete, zur Schwesterfabrik auf der anderen Seite der Stadt befördert wurden; dorthin, wo die Autobatterien hergestellt wurden. In dieser Fabrik arbeitete Nuri.

»Erze und Mineralien sind das Rückgrat Jugoslawiens«, sagte Samo, »das war immer so in der Geschichte. Immer waren Jugoslawiens Bodenschätze begehrt, im Westen wie im Osten.«

Über dem Bergrücken war der Himmel klar, aber die Stadt im Tal lag unter einem dünnen Rauchschleier: der Fluß, die Brücke, der belebte Platz, die Einkaufsstraße, die Häuser. Hohe Fabrikschornsteine schleuderten schwarzen Rauch in die Luft, der über die ganze Stadt, über die Felder und zum Wald hinüber zog. Und während ich in diesen Rauch schaute, wuchs in mir die Ahnung, daß etwas falsch war an dieser Stadt, an diesem Land. An meiner bevorstehenden Hochzeit.

Hand in Hand gingen wir gegen einen leichten Wind.

Dann standen wir vor einem großen Friedhof. Alle Gräber hatten die gleiche Größe und den gleichen Grabstein.

»Der Friedhof der Partisanen«, sagte Samo.

Ich schaute die Gräber genau an. Das Wort »Partisan« hatte eine magische Wirkung auf mich, die sichtbaren Spuren der Geschichte und Opposition.

»Sie starben alle im Kampf gegen die Nazis«, sagte Samo.

»Und alle waren aus dieser Stadt?« fragte ich.

Er erklärte mir, daß die Mehrheit der Albaner und Kroaten gegen die Partisanen gekämpft hätte. Sie hätten unter dem Schutz der Deutschen gestanden.

»Die meisten Partisanen waren Serben, aber nach einiger Zeit schlossen sich auch Albaner den Partisanen an und kämpften gegen die Deutschen. Mein Vater war einer von ihnen. Er war auch ein Partisan.«

»Dein Vater?«

»Ja. Mein Vater.«

Samo war stolz auf seinen Vater. Ich war überrascht, daß dieser zerbrechliche und sanft wirkende Mann, von dem ich nie ein lautes Wort gehört hatte, in einem Krieg gekämpft haben sollte und ein Held war.

Wir standen nebeneinander und schauten schweigend über die Grabsteine, viele hundert Grabsteine... »Wenn es keinen Tito gegeben hätte, gäbe es heute auch kein Jugoslawien«, sagte Samo mit ehrfürchtiger Stimme, so wie ein Junge von einem Helden spricht.

14

Eines Nachts kam Nuri, nachdem er kurz geklopft hatte, ins Wohnzimmer. Er fragte, ob wir schon schliefen. Ja, wir hatten geschlafen, und er hatte uns geweckt. Er knipste Licht an und beunruhigt flüsterte er; er müsse unbedingt mit Samo sprechen. Samo erhob sich ohne große Eile von unserer Couch und setzte sich mit ihm an den Tisch. Ich schaute hinüber zu den beiden, die sich mit gedämpften

Stimmen unterhielten. Nuri schüttelte den Kopf, Verzweiflung mischte sich in sein sonst immer spöttisches Gehabe. Ich hörte den Namen ›Sirlanka‹, den Namen der Frau, die uns auf der Einkaufsstraße begegnet war. Er schlug die Hand gegen seine Stirn und blickte nervös zu mir herüber, als befürchtete er, ich könnte verstehen, was er berichtete. Offensichtlich war Samo sehr erschrocken. Irgend etwas ganz Schreckliches mußte zwischen Nuri und Sirlanka geschehen sein, und er wollte Samos Rat oder dessen Hilfe. Nun redete Samo nervös auf Nuri ein. Schließlich hatte ich das Gefühl, daß er auf Nuris Vorschlag einging. Nuri legte seine Hand auf Samos nackten Arm und drückte ihn, wohl um seine Dankbarkeit zu zeigen. Dann erhob er sich und winkte mir mit einem entschuldigenden Blick zu.

Nachdem Nuri gegangen war, blieb Samo am Tisch sitzen, seufzte und rieb sich die Stirn.

»Was ist geschehen?« fragte ich.

Er stand auf, schaltete das Licht wieder aus und setzte sich auf die Bettkante. »Du versprichst mir, es niemandem zu erzählen? Kein Wort?«

»Das verspreche ich«, sagte ich.

»Si... Sirlanka ist schwanger.«

»Was?« stieß ich hervor; mehr konnte ich nicht sagen.

Während er mir von der gefährlichen Liebschaft erzählte, konnte ich sein Gesicht in der Dunkelheit nur ahnen. Nuri hatte Samo schon früher gestanden, daß er Sirlanka gar nicht liebe. Er sei von ihr verführt worden. Als er in der Wohnung eines Freundes übernachtet hatte, habe er sie morgens in einer Wohnung im Haus gegenüber gesehen. Sie war nackt. Er war sich sicher, daß sie wußte, daß er ihr zusah. Er ist hinübergegangen in diese Wohnung und hat geklingelt. In der Zwischenzeit hatte sie sich angezogen und aufreizend geschminkt. Sie begrüßte ihn, als habe sie seinen Besuch erwartet. Sie setzten sich und sprachen miteinander. Sie stammte aus Montenegro, war fremd in der Stadt. Sie fühlte sich einsam und unglücklich in ihrem Eheleben. Ohne Scheu offenbarte sie ihre Geheimnisse, sagte ihm auch, daß sie mit ihrem Mann nicht mehr schlafen würde. Sie gestand ihm auch, daß sie gewußt habe, daß Nuri ihr von der Wohnung gegenüber zugesehen hatte und daß sie sich zu ihm hingezogen fühle. Zwei Stunden später lagen sie miteinander im Bett. Sie hatte, wie Nuri sagte, einen wunderschönen Körper und war sehr leidenschaftlich. So hatten die Affäre und all die Heimlichkeiten begonnen. Und Nuri, in seiner Willensschwäche, wie Samo sagte, und seiner eigennützigen Art, war es gleich, was daraus werden würde. Immer wenn Sirlankas Mann verreist war, war Nuri bei ihr. Sie rief ihn in der Fabrik an. Und sie begann davon zu sprechen, daß sie bereit sei, ihren Mann zu verlassen, mit Nuri davonzulaufen. Wenn ihr Mann von der Affäre erführe, dann würde Blut fließen, Nuris Blut und vielleicht auch ihres. Möglicherweise müßten sie sogar sterben. Sie flehte Nuri an, sie zu retten und mit ihr nach Belgrad zu gehen und sich dort niederzulassen. Sie könnten auch einen Antrag stellen und nach Deutschland auswandern und dort arbeiten. Sie sei eine geschickte Schneiderin, und sie könnten sich zusammen eine Existenz aufbauen, gutes Geld verdienen, Kinder haben. Das war es, was sie wollte. Nie, so sagte sie Nuri, habe sie einen Mann geliebt wie ihn. Aber Nuri war schon auf Distanz gegangen. Er hatte eine Freundin in Dubrovnik und begann die Affäre zu bereuen. Eine Zeitlang hielt er sich fern von ihr, folgte ihren Einladungen nicht. Aber sie war keine Frau, die leicht aufgab. Und je panischer sie in ihrer Angst vor ihrem Mann wurde, desto mehr klammerte sie sich an Nuri. Seine Kollegen in der Fabrik machten sich bereits lustig über Nuri, über die Anrufe, die er von einer geheimnisvollen Frau bekam. Nuri flehte Sirlanka an, sie solle ihn doch in Ruhe lassen. Aber das tat sie nicht. Und dann, als er gerade von seiner Freundin in Dubrovnik zurückgekehrt war, sagte ihm Sirlanka am Telefon, daß sie schwanger sei. Und er sei der Vater, da gebe es keinen Zweifel. Nun geriet Nuri in Panik und wollte nichts damit zu tun haben. Aber Sirlanka drohte ihm, sie werde ihrem Mann erzählen, Nuri habe sie vergewaltigt. Darum hatte Nuri mitten in der Nacht Samo um Hilfe gebeten.

Während Samo mir die Geschichte erzählte, hatte ich das Gefühl, daß ich nun auch etwas unternehmen müßte. Ich fragte, ob ich mit nach Zagreb fahren solle, wohin Nuri und Samo mit Sirlanka zu einer Abtreibung fahren wollten. »Nein«, sagte Samo, »ich will nicht, daß Du in Gefahr gerätst.« Der Ehemann könnte ihnen folgen, und dann käme es zu einer Katastrophe. Ich zitterte vor Angst: »Ich kann mir nicht vorstellen, daß hier, in einem sozialistischen Land, noch solche Verbrechen begangen werden!« sagte ich.

Samo versuchte, mich wieder zu beruhigen. »Es wird schon alles gutgehen. Wir werden sehr vorsichtig sein«, sagte er.

Ich sah Sirlanka wie eine Heldin aus einem Roman. Ihr Schicksal erregte mich und es rührte mich. Ich konnte die Leidenschaftlichkeit dieser Frau nicht verstehen, eine Leidenschaft, die stärker war als ihr Lebenstrieb. Nuri hätte ihre Wohnung verlassen sollen, dachte ich, und zwar sofort nachdem Sirlanka ihm erzählt hatte, daß sie verheiratet sei. Samo und mir würde das nicht passieren. Wir würden immer offen und ehrlich miteinander sein! Ja, so dachte ich damals. Aber damals wußte ich noch nichts von den dunklen Kräften in der menschlichen Seele und wollte nicht glauben, daß auch ich in die Untreue getrieben werden könnte. Nein, nicht bis zu jenem Nachmittag…

Zusammen holten die Brüder Sirlanka in dem Dorf ab, wo sie sich im Haus ihrer Schwester aufhielt, um ihre Schwangerschaft vor ihrem Mann zu verbergen. Zu dritt fuhren sie in großer Heimlichkeit nach Zagreb zur Abtreibung. Während der langen Fahrt nach Zagreb weinte Sirlanka ununterbrochen. Immer wieder sagte sie, sie wolle mit Nuri fliehen und das Kind austragen. Doch Nuri wollte nichts wissen von ihrem Traum…

15

Eines Nachmittags stand ein alter Mann vor der Tür. Er trug einen schwarzen Anzug und ein weißes Käppchen, sein weißer Bart reichte bis zu seiner eingesunkenen Brust.

»Und dir hat niemand von deinem invaliden Onkel erzählt?« fragte er.

»Nein.«

Er ging auf seinen Spazierstock gestützt quer durch das Wohnzimmer.

»Komm und setz dich neben mich«, sagte er in einem gespielt gebieterischen Ton.

»Soll ich Ihnen einen Tee bringen?«

»Ja, ja«, er nickte lebendig, »ein Glas Tee soll man niemals ablehnen.«

Als ich das Zimmer verließ, rief er mir hinterher: »Mit ordentlich Zucker drin.«

Ich brachte ihm Tee mit Zuckerwürfeln auf der gläsernen Untertasse und setzte mich auf einen Stuhl neben dem Sofa, auf dem er saß.

»Also, wie geht es dir hier?« fragte er, lutschte einen Zuckerwürfel, schlürfte den Tee.

»Gut.«

»Man hat mir erzählt, daß deine Großmutter eine Enkelin von Sultan Abdülhamit war. Stimmt das?«

»Ja.«

Er blickte mich mit seinen kleinen grauen Augen, die tief in den Falten seines alten Gesichts funkelten, prüfend an.

»Also bist du, ein Mädchen und Sproß aus diesem größten aller Reiche, entschlossen, hier in unserem bescheidenen Städtchen zu wohnen?«

»Ich fühle mich gar nicht wie ein Sproß aus diesem großen Reich«, sagte ich und lächelte.

»Es ist gut, bescheiden zu sein«, sagte er nachdenklich, »aber du wirst mir doch von deinen Ahnen erzählen, oder?«

»Ich weiß nichts über meine Ahnen. Ich kannte nur meine Großmutter.«

»Wie schade! Und ich dachte, du würdest mir von deinen Ahnen erzählen. Darum kam ich dich besuchen.« Er neigte sich zu mir mit gespieltem Vorwurf. Dann schüttelte er den Kopf: »Zu schade! Ich bin zutiefst enttäuscht.«

Ich verstand ihn nicht. Er schien alt zu sein, uralt, so als sei er schon weit über die Grenzen des menschlichen Lebens hinausgelangt, und dennoch war er sehr lustig.

»Was mich angeht, ich bin die Geschichte in Person. Dieses Bein, siehst du, habe ich im Zweiten Weltkrieg verloren, hier in dieser Stadt.«

Wieder schlürfte er hörbar seinen Tee.

»Wir alle müssen die Geschichte kennen. Die vergangenen Zeiten. Die Geschichte ist es, die die Gegenwart hervorbringt.«

»In der Schule mochte ich den Geschichtsunterricht überhaupt nicht«, sagte ich und erinnerte mich daran, daß wir in der Schule nicht die Geschichte, sondern das Leben kennenlernen wollten. Wir wollten wissen, wie wir uns hübsch machen und die Aufmerksamkeit der Jungen auf uns lenken konnten. Wir wollten modische Worte benutzen, wollten europäische Sprachen lernen, die uns mit der zivilisierten Welt verbanden, in der Frauen frei waren und ermutigt wurden, sich auf romantische Abenteuer einzulassen, und wo Sex nichts war, vor dem man sich hätte fürchten müssen. Das wollten wir kennenlernen und nicht die Siege und Niederlagen von Armeen, die Namen der alten Sultane, der Kaiser und Könige, die Jahreszahlen der Kriege. »Geschichte ist nur die Summe der Kriege«, sagte ich dem Onkel, »der Kriege und der Zerstörung...«

Er achtete nicht auf das, was ich sagte. Statt dessen erklärte er mir, daß er sich für die Geschichte der Osmanen interessiere. Und er habe gelesen, was ihm dazu in die Hände geriet.

Seine grauen Augen blickten in die Ferne, als er anfing, mir von seiner Zeit als junger Mann in Istanbul zu erzählen.

»Istanbul«, sagte er, »da war es schön. Feine Menschen waren sie, die Istanbuler. Sie bewegten sich so vornehm.

Und wie sie miteinander sprachen. Voller Höflichkeit. Die Sprache war so blumig. Ein Osmane hätte beispielsweise nie gesagt: ›Ich freue mich, dich zu sehen.‹ Nein, er hätte gesagt: ›Die gesegnetste unter den Stunden ist die, in der du kamst‹.«

Ich lachte.

»Warum lachst du?« fragte er.

»Weil sie so lächerlich klingen, solche Sätze.«

»Im Gegenteil. Daß sie solche Worte hörten, hat den Menschen das Gefühl gegeben, geehrt zu sein, und es war unterhaltsam. Und dann, die türkischen Bäder...« Er hielt kurz inne und putzte sich die Nase mit einem großen, zerknitterten Taschentuch. »Wie sauber wir damals waren.« Er lächelte. »Wir tranken Kaffee und genossen ein paar Züge an der Wasserpfeife. Ja, die türkischen Bäder waren preiswerte Treffpunkte...«

Während ich ihm zuhörte, dachte ich voller Sehnsucht an die Bäder meiner Kindheit, an die großen alten Gebäude mit den hohen Kuppeln, den Marmorböden und den Brunnen, die mittlerweile alle dem Erdboden gleichgemacht und durch hohe Betonbauten ersetzt worden waren.

»Ja, solche Bauwerke hätte man unter Denkmalschutz stellen müssen«, sagte ich.

»Aber wie hätten die Beton- und Eisenhändler dann ihren Reichtum mehren können?«

»Ja, die Kapitalisten...«

Er unterbrach mich. »Mein hübsches Mädchen, die Sozialisten haben dasselbe gemacht. Kein Respekt vor der Vergangenheit, vor der Geschichte, das ist es.«

Ich widersprach ihm, sagte, er möge doch die beiden Systeme nicht vermengen, denn die Kapitalisten hätten die

Vergangenheit zerstört, um Gewinne zu erzielen, während die Sozialisten eine bessere Gesellschaft errichten wollten.

»Das bezweifle ich«, sagte er und wischte den Unterschied, den ich gemacht hatte, beiseite. Auch schien er sich für das, was ich dachte, nicht sonderlich zu interessieren. Ich hatte keine Chance, seine Aufmerksamkeit zu erringen. Er fing an, ein altes Lied zu summen, mit seiner zittrigen, kleinen Stimme.

»Heute morgen wanderte ich wieder
Durch den Garten meines Herzens…
Meine Liebe ist so schön wie der Mond,
So schön wie der Sommer…«

»Sie können ja auch singen.«

»Mittlerweile alles Geschichte. Alles vergangen… Als ich gerade zwanzig war, fand ich eine Anstellung als Tischler im Palast des Sultans, in der Hoffnung, dort ein Mädchen zu sehen, in das ich verliebt war«, sagte er und lächelte scheu. »Eine junge Frau aus dem Harem.«

Er blickte mich kurz an, dann schloß er seine grauen Augen halb und fuhr fort: »Damals gingen die Konkubinen des Palastes am Ufer des Bosporus spazieren. Sie wurden gut versorgt, die Frauen des Sultans. Die besten Kleider, das beste Essen. Früchte, soviel sie wollten. Die ganze Zeit waren sie zusammen, nähten, stickten, sangen. Sie spazierten im Garten des Serail, saßen im Obstgarten am Brunnen. In einem eigens abgesperrten Bereich des Bosporus durften sie sogar schwimmen. In Pferdekutschen wurden sie ausgefahren. Immer waren sie verschleiert, immer von den Eunuchen des Palastes bewacht. Ab und an ließen sie ihre Schleier kurz fallen, und das machte sie besonders reizvoll, auch die eher unscheinbaren.« Er lächelte, schaute in die Ferne, als könne er sie in seiner Phantasie wieder sehen. »Und ich verliebte mich in eine dieser jungen Frauen. Das war damals gefährlich. Eine Affäre wurde mit dem Tod bestraft. Ach, wie oft raste mein Herz in den Straßen Istanbuls. Ich sah nicht schlecht aus und wußte mich zu benehmen.«

Elektrisiert hörte ich ihm zu. Ob ich vielleicht den Tischler aus dem Yildiz-Palast vor mir hatte, den Mann aus der Geschichte, die meine Großmutter erzählte, als ich ein kleines Mädchen war? Hatte er tatsächlich überlebt? Vielleicht war dieser uralte Mann, dieser verkrüppelte Onkel niemand anderes als dieser Tischler.

Eine ganze Weile verharrte ich regungslos. Die Geschichte, die sich meiner Phantasie vor so langer Zeit eingeprägt hatte, hatte mich eingeholt. Sollte ich dem Onkel meine Geschichte erzählen und ihn fragen, ob... Nein, das brachte ich nicht über mich. Ich konnte ihn nicht fragen, ob er der Tischler sei, der im Dunkeln unter dem Fenster einer schönen jungen Frau gewartet und Liebeslieder gesungen hat, der Mann, den der Eunuch bei Tagesanbruch in den finsteren Kerker geschleppt hatte. Er kann es gar nicht gewesen sein, das kann nicht sein...

»Als Soldat wurde ich nach Kosovo geschickt«, fuhr er fort mit der Stimme eines alten Mannes, der einem Kind ein Märchen erzählt. »Seitdem lebe ich hier. Ich habe eine Frau aus Montenegro geheiratet. Ein Bauernmädchen aus den Bergen. Ihre Eltern wollten nicht, daß sie heiratete, aber sie floh und kam nach Kosovo. Und wie ich gelitten habe, als sie starb«, er hielt inne und seufzte, »das ist schon sehr, sehr lange her, es war kurz nach der Besetzung durch die Deutschen. Sie wurde krank. Wir hatten keine Arznei und nichts zu essen. Ich brachte ihre Leiche hinauf in die Berge, aus denen sie gekommen war. Seitdem habe ich keine andere Frau berührt.«

Seine Stimme erlosch. Er nahm wieder sein zerknittertes Taschentuch aus der Jackentasche und wischte sich die Stirn. Dann hielt er mir sein leeres Glas hin: »Willst du dieses alte Herz noch einmal mit dampfendem Tee erquikken, kleines Mädchen?«

»Ja«, sagte ich gedankenverloren, versunken in die Vorstellung eines kräftigen jungen Mannes, der mit der Leiche seiner Geliebten hinaufsteigt in die Berge. Einen Augenblick lang sah ich in dem alten verwitterten Gesicht des Onkels die Züge eines hübschen jungen Mannes. Ich lächelte ihn an und nahm sein leeres Glas und ging langsam aus dem Zimmer. Als ich ihm neuen Tee gebracht hatte und wieder neben ihm saß, war ich begierig, mehr von seiner Wanderung in die Berge zu hören. Aber er schien diese Geschichte wieder verpackt und in seinem Herzen vergraben zu haben. Vielleicht wollte er einer jungen Frau wie mir auch nicht mehr von seinen Gefühlen offenbaren.

Schweigend trank er seinen Tee, knabberte an dem Zukkerwürfel und sagte: »Das ist der beste Tee in der ganzen Stadt. Richtiger türkischer Tee.«

Ich lächelte über sein Vergnügen.

»Weißt du überhaupt, wie die Türken hierher gelangt sind?« fragte er.

»Nicht so genau«, antwortete ich.

»Dann muß ich es dir erzählen. Wenn du hier leben

wirst, mußt du auch die Geschichte dieses Ortes kennen«, sagte er und neigte sich ein wenig zu mir herüber. Dann lehnte er sich zurück, und sein Blick schweifte, während er erzählte, wieder in die Ferne.

»In der Mitte des vierzehnten Jahrhunderts baten die Kaiser von Byzanz die osmanischen Türken um Unterstützung gegen die Serben. Der Kaiser der Serben war Stephan Duschan. Seine Herrschaft war die glorreichste Epoche der serbischen Geschichte. Er begehrte Konstantinopel, wollte die Osmanen aufhalten, die nach Europa drängten. Aber er starb, und sein Reich zerfiel. Der Bürgerkrieg brach wieder aus. Albanier, Mazedonier, Montenegriner – alle kämpften sie um ihre Unabhängigkeit. Dann drangen die Osmanen vor. Die Serben mußten ihren Bürgerkrieg unterbrechen, um sich der Türken zu erwehren. Doch wurden ihre Armeen im Kosovo, in der Schlacht auf dem Amselfeld, von den Türken geschlagen. Das ist die Geschichte des Ortes, an dem du vorbeigefahren bist. Das ist die Geschichte des Ortes, in dem du wohnen wirst. Es ist der Ort, an dem deine Ahnen aus einer der grausamsten Schlachten der Geschichte als Sieger hervorgingen.

»Ich bin nicht stolz darauf«, sagte ich.

»Die osmanischen Sultane tolerierten die Religion ihrer Untertanen«, sagte er. »Sie ließen ihnen auch eine gewisse Unabhängigkeit in der Verwaltung, solange sie ihre Steuer pünktlich zahlten. Kennst du den Grund für Verfall und Zusammenbruch des osmanischen Reichs?«

»Korruption und Trägheit, soviel ich weiß«, sagte ich.

Er schüttelte den Kopf.

»Die Frauen der Sultane«, sagte er und hob den Finger, »die wunderschönen Frauen der Sultane. Frauen aus fremden Ländern, aus Serbien, aus Griechenland. Sie wußten, was sie wollten, und hatten großen Einfluß.« Er lächelte hinterlistig. Dann sagte er: »Und die Janitscharen«. Er schwieg. Wieder schweifte sein Blick in die Ferne, und er summte eine Melodie, die ich als Marsch der Janitscharen erkennen konnte. In meiner Kindheit waren an den Jahrestagen der großen Siege junge, als Janitscharen verkleidete Männer durch die Stadt gezogen; solche Feiern zur Erinnerung an die osmanische Geschichte waren allerdings selten. Viele Feiertage dagegen gab es zum Gedenken an Siege der Türkischen Republik und an ihren Gründer Kemal Atatürk. Dann marschierten Soldaten, Offiziere, Studenten, Lehrer und Schulkinder an wichtigen Mitgliedern des öffentlichen Lebens vorbei, und Militärkapellen spielten dazu die Nationalhymne. An den Feiern zur Erinnerung an die Zeit vor der Republikgründung haben wir allerdings nie teilgenommen. Und wenn wir eher durch Zufall Männer in Janitscharen-Uniformen paradieren sahen, da haben wir nur ironisch gelacht.

»Ich kenne diese Melodie«, sagte ich, »es ist der Marsch der Janitscharen.«

»Richtig, richtig. Und weißt du, was ›Janitschar‹ bedeutet?«

»Das weiß ich schon: Die Osmanen haben Kinder der christlichen Bevölkerung rekrutiert und als Soldaten für die eigene Armee erzogen.«

»Richtig. Jetzt hast du die Prüfung bestanden. Und weißt du auch, daß die Janitscharen als osmanische Offiziere oft in den Städten und Dörfern Dienst tun mußten, aus denen sie stammten? Im achtzehnten Jahrhundert haben die Janitscharen begonnen, die Serben zu unterdrükken. Nicht einmal die osmanischen Behörden konnten die grausame Behandlung der serbischen Bauern unterbinden, und die Serben mußten den Osmanen beistehen, um die Janitscharen zu bekämpfen. Die Janitscharen haben die Zentralgewalt des Reiches untergraben und die Verwaltung in den osmanisch beherrschten Ländern korrumpiert. Ich glaube, es war der größte Fehler, den die Osmanen gemacht haben, daß sie sich auf die Janitscharen stützten und sie protegierten. Sie haben sie ja sogar zu Vorgesetzten von osmanischen Soldaten gemacht. Das zeigt allerdings auch, daß die Osmanen keine Vorurteile gegen Christen hegten. Die Christen waren gute Baumeister, errichteten überall auf dem Balkan wunderbare Gebäude und Brücken, und die osmanische Elite ließ sich dort nieder. Der Balkan wurde zum geistigen Zentrum der osmanischen Kultur, Anatolien dagegen wurde vernachlässigt.« Er seufzte, als sei er sehr enttäuscht. »Ja, die osmanischen Sultane investierten mehr in die Länder des Balkans als je in das große Anatolien.« Er schaute mich kurz an, und dann erklärte er mir, daß die Serben gerade unter Sultan Abdülhamit II., also in der Regierungszeit des Onkels meiner Großmutter, ihr Land und ihre Unabhängigkeit zurückerobert hätten.

»Damit endete die Herrschaft der Osmanen in Europa, die einst mehr als zwanzig Millionen Menschen regierten.«

»Bedauern Sie das?« fragte ich.

»Es geht nicht darum, ob ich das bedaure oder nicht«, sagte er, »ich möchte, daß das Recht obsiegt. Denn in Wahrheit haben Engländer, Österreicher und Russen ihre Macht ausdehnen wollen, und darum haben sie die Serben unterstützt.«

»Ich bin gegen jede Eroberung«, sagte ich. Er lächelte mich an, als sei ich ein dummes kleines Mädchen. Gerade in diesem Augenblick flog die Tür auf. Es war Nuri.

»Onkel!« sagte er sarkastisch, »da hast du aber gute Gesellschaft gefunden.«

»Richtig«, antwortete der.

Nuri wandte sich mir zu und murmelte: »Ich suche Mutter. Wo steckt sie denn?«

»Sie ist nicht zu Hause«, sagte ich und warf ihm einen fragenden Blick zu.

»Ich gehe fort«, sagte er.

»Fort? Wohin denn?«

»Nach Zagreb. Sage es Mutter. Ein Freund von mir wartet draußen. Ich fahre mit ihm.«

»Aber... warum?«

Er antwortete nicht. Er hob die Hand, sagte »Auf Wiedersehen« und verließ den Raum.

Ich hörte, wie er die Treppe hinaufeilte und dann oben herumlief. Er packte seine Sachen, wollte sich wohl aus dem Staub machen. Vor wem oder was wollte er fliehen? Da erinnerte ich mich an das, was mir Samo vom Rachedurst betrogener albanischer Ehemänner erzählt hatte. Ich erschrak, und es drängte mich, nach oben zu gehen. Ich hatte das heftige, ganz irrationale Bedürfnis, mich in dieses aufregende Ereignis verwickeln zu lassen. Nuri sollte seine Geheimnisse mit mir teilen. Ich wollte ihn fragen, ob ich ihm nicht irgendwie helfen könne. Hin- und hergerissen zwischen Angst und Erregung hörte ich kaum auf das, was Onkel sagte.

»Was für ein seltsamer Junge, was für eine seltsame Familie!« murmelte er, als würde er mit sich selbst sprechen.

Ich war nicht mehr in der Lage, ihm zuzuhören, und er spürte das. Vorsichtig griff er nach seinem Spazierstock, stützte sich darauf und erhob sich langsam.

16

»Bist du schon auf dem Amselfeld gewesen?« fragte Onkel.

»Ja«, sagte ich, »Samo hat es mir gezeigt, als wir hierher fuhren.«

Wir saßen in der dunklen Ecke des Zimmers und tranken Tee. Es war Dienstag, und wieder war der Onkel erschienen, exakt zur selben Zeit wie bei seinem ersten Besuch. Und wieder trug er seinen schwarzen Anzug und sein weißes Käppchen.

»Jedes Jahr, wenn dieser Tag wiederkehrt, gedenken die Serben der Schlacht auf dem Amselfeld, und immer noch erfüllt sie die Niederlage gegen die Türken mit Bitterkeit«, sagte er.

»Ich bin gegen alle Eroberungsfeldzüge«, erwiderte ich.

»Jedes Reich hat fremde Länder erobert. In Kriegen ging es zunächst immer um die Eroberung fremder Territorien. Die Stämme, die sich nicht ausbreiteten, wurden von anderen, stärkeren weggefegt. Später lieferte die Religion den Grund für Kriege.«

»Glücklicherweise«, sagte ich, »gibt es keine solchen Reiche mehr und keine Eroberungskriege. Und in der Zukunft wird der Sozialismus die Völker der Welt vereinen, so daß es überhaupt keine nationalistischen Kriege mehr geben wird.«

Mit einem bitteren Lächeln sah er mich an. »Du mußt erwachsen werden, zwischen Sein und Schein unterscheiden lernen. Wir leben auf einem siedenden Topf, aber der Deckel ist noch zu, und wir sehen nicht, wie es unter uns brodelt.«

»Das verstehe ich nicht. Welcher Topf?«

»Weil die Serben sich rächen werden«, sagte er.

»Aber hier sind die Menschen alle gleich.«

»Wenn du Tito danach fragst, dann schon«, sagte er abschätzig.

»Ich denke, Sie heften sich so sehr an die Geschichte, daß Sie gar keinen Blick haben für die Gegenwart«, sagte ich.

Er schaute hoch mit einer versteinerten Miene, sein Blick schweifte in die Ferne. »Weißt du, warum die Osmanen ihr Reich verloren haben?«

Ich sah ihn unbewegt an, wollte zeigen, daß die Antwort mich nicht interessierte.

»Weißt du es nicht?« fragte er und sah mich streng an. »Ich werde es dir sagen. Muslime verstehen nichts von Politik, von Strategie vielleicht, aber nichts von Politik. Zur Politik gehört das Spiel der Diplomatie. Das ist die Begabung der Christen.«

»Ich verstehe nicht, warum Sie auf solchen Differenzen bestehen. Ich begreife Geschichte nicht aus den Unterschieden zwischen Religionen, sondern zwischen Klassen«, sagte ich.

»Aber die Kriege wurden durch die Streitigkeiten zwischen diesen beiden Weltreligionen verursacht. Als die Zeit der Eroberungs- und der Religionskriege vorbei war; da ging es los mit den politischen, den Wirtschaftskriegen. Die moderne Zeit…«

»Ich denke, sie ist besser als die alten Zeiten.«

»Die moderne Zeit zerstört die wahren Werte«, sagte er, »Demut, Respekt, Zuneigung. Die moderne Zeit hat Gier, Plackerei und Hetzerei mit sich gebracht. Und Untreue.«

»Aber wir haben auch mehr Freiheit«, fuhr ich unbeirrt

fort, »und mehr Möglichkeiten. Frauen müssen ihre Zeit nicht damit verbringen, Wäsche in einem Fluß zu waschen. Sie müssen weder Brotteig kneten noch Feuer schüren, wenn sie backen wollen. Doch, die Errungenschaften der Technik geben den Frauen mehr Zeit.«

»Und was machen sie mit ihrer Zeit? Sie arbeiten in der Fabrik. Sie fahren Auto. Sie gehen einkaufen. Meinst du, sie sind mit einem solchen Leben glücklicher?«

»Das kommt darauf an, kommt ganz darauf an«, stammelte ich. »Ich persönlich wollte nicht zurück in die alten Zeiten und all die Möglichkeiten aufgeben, die ich jetzt habe.« Ich fühlte, wie mich meine eigenen Worte erregten. Onkel nickte, starrte vor sich hin. Als er weitersprach, war es, als spräche er zu sich selbst.

»Die Menschen sind gefangen im Räderwerk einer immer schnelleren Zeit. Die Menschheit hetzt sich ab in einem verrückten Wettlauf. Alle wollen sie nur haben, immer mehr haben. Sie produzieren und produzieren und sie kaufen und kaufen. Und warum? Warum? Weil sie Angst haben unterzugehen, wenn sie damit aufhören...«

»Sie beschreiben das Wesen des Kapitalismus.«

»Die Sozialisten versuchen, die Kapitalisten zu überholen«, sagte er. »Überall das gleiche, überall... Christen...

»Unsinn«, protestierte ich, »das sind Vorurteile.«

»Nein, die Christen haben Vorurteile. Sie betrachteten die Muslime als Störenfriede, nur weil der Islam später kam. Sie haben die Muslime immer verachtet. Sie hielten sie für dumm, für schmutzig und hinterwäldlerisch, und sich selbst nannten sie zivilisiert.«

»In den westlichen Ländern sind die Wissenschaften, die Technik viel weiterentwickelt; und die Frauen haben mehr Rechte.«

»Aber die Christen haben Abertausende von unschuldigen Frauen verbrannt, im Namen Gottes«, sagte er.

»Wann?« fragte ich schockiert.

»Im Mittelalter.«

Eine Weile konnte ich nicht weitersprechen. Dann sagte ich: »Davon wußte ich nichts.«

»Weil du dich nicht für Geschichte interessierst.«

»Muslime haben auch Frauen getötet, haben sie lebendig begraben und gesteinigt.«

»Ja, das ist wahr. Sie haben Frauen getötet, die untreu waren. Auch das ist grausam, aber sie wollten damit die Moral aufrechterhalten. Die Christen dagegen haben Frauen massakriert, nur weil sie Vorurteile gegen sie hatten.«

Danach schwiegen wir.

»Immerhin«, sagte ich, »die Frauen in den westlichen Ländern konnten sich in diesem Jahrhundert emanzipieren.«

»Weil die christlichen Länder wirtschaftlich stärker geworden sind«, sagte er.

»Nicht nur deswegen«, sagte ich, »sie haben sich auch vom Joch der Religion befreit.«

Er erwiderte nichts, mit einer Handbewegung zeigte er seine Verzweiflung.

Ich haßte ihn und mochte ihn zugleich. Ich saß gerne neben ihm und hörte ihm zu. Wie ein kleines Mädchen. Wenn Kinder Märchen hören, genießen sie vielleicht nicht die Fabel, sondern die Stimme, die ruhige Stimme eines Erwachsenen, der sie angesichts der Gefahren des Lebens beruhigt. Ja, in gewisser Weise versöhnte mich dieser uralte Mann mit seinem langen weißen Bart mit meinem Leben in einem fremden Land. Er versuchte, mich mitzunehmen auf eine Reise durch die Zeit. Hinein in eine Geschichte, die ich bis dahin abgelehnt hatte.

17

Ich reichte den Gästen die Teegläser von einem großen Kupfertablett und ich trug dabei dieses lange rote Kleid. Ich fühlte mich, als sei ich eine andere; eine Frau, die ihre Stimme nicht erheben konnte, eine Frau, die beschützt wurde und die dafür mit ununterbrochenem Lächeln und andauernder Demut zu zahlen hatte.

Einige Male habe ich das lange rote Kleid getragen. Dann habe ich es in den Schrank gehängt und nicht mehr angesehen.

»Willst du denn dein schönes Kleid nicht mehr tragen?« fragte Samos Mutter eines Morgens. Und sie hielt das Kleid in beiden Händen wie ein Matador das rote Tuch.

»Nein. Es steht mir nicht«, sagte ich.

»Und wie gut es dir steht.«

»Es entspricht nicht meinem Stil«, sagte ich.

Nervös hängte sie das Kleid zurück in den Schrank und verließ das Zimmer. Dieser Vorfall ließ die Spannung zwischen uns steigen. Sie beobachtete mich heimlich. Ich konnte spüren, wie sie versuchte, eine Strategie zu entwikkeln, mit der sie mir begegnen konnte.

Eines Nachmittags, als ich von einem Spaziergang zurückkehrte und gerade das Wohnzimmer betreten wollte, kam sie rasch aus der Küche. Um sie herum war der süße Duft von frischem Buttergebäck. Sie sagte, sie habe Besuch.

»Bitte, betritt das Zimmer nicht in diesem Aufzug«, verlangte sie mit einer festen Stimme. Ihre Wangen waren gerötet, ihre Miene kämpferisch. »Zieh dein rotes Kleid an und serviere den Gästen den Tee. Ich erwarte dich.«

In diesem Augenblick spürte ich, wie in meinem Kopf etwas durchbrannte. »Nein. Das werde ich nicht tun!«

Sie schaute mich verblüfft an. »So...«

»Ich will keine tscherkessische Braut sein«, sagte ich.

»Oh, du denkst nur an dich«, zischte sie.

Ich drehte mich um, griff nach der Klinke der Wohnzimmertür und drückte sie herunter.

Ich sah eine Versammlung von Damen im mittleren Alter. Mit ihren ondulierten Haaren und ihren adretten Kleidern kamen sie mir alle gleich vor. Es werden ihre Zuhörerinnen aus dem ›Marxistischen Frauenzentrum‹ gewesen sein. Die Damen starrten mir schweigend entgegen. Wahrscheinlich hatten sie unseren Wortwechsel durch die Tür gehört. Ich versuchte ein Lächeln, ging hinüber zum Schrank. Ich nahm meine Schultertasche und mein Wörterbuch heraus.

»Entschuldigen Sie mich bitte«, sagte ich auf Serbokroatisch und stürzte hinaus.

Ich zitterte, als ich die Straße hinuntereilte. Eine Frau grüßte mich und wollte sich mit mir unterhalten. Ich wimmelte sie ab.

Ja, an diesem Nachmittag habe ich nur an mich selbst gedacht und ich fühlte mich im Recht.

Ich fuhr mit dem Bus in das Dorf Zwe; dorthin hatte mich Samo einmal geführt, um mit mir eine Burgruine zu besichtigen. Er hatte mir erzählt, daß dort zuerst ein römisches Kastell gestanden habe, das die Türken später wiederaufgebaut hätten. Ein serbischer König war dort eingekerkert und von seinem Sohn erdrosselt worden. In einem Gasthof in der Nähe hatten wir Tee und Kuchen bestellt.

Bereits als ich in den Bus zu diesem Dorf stieg, war ich entschlossen, im Gasthof dort zu übernachten. Ich weiß nicht mehr genau, ob das Geld, das ich bei mir hatte, meine Ersparnisse waren, die ich nach Jugoslawien mitgenommen hatte, oder ob es Geld war, das mir Samo in die Tasche gesteckt hatte. Der Busfahrer konnte nicht wechseln. Er nahm den Schein nicht an, ließ mich dafür aber umsonst mitfahren. Ein alter Mann mit einer Bauernmütze versuchte, zwei Hühner zu bändigen, was alle zum Lachen brachte. Arbeiter fuhren von der Frühschicht nach Hause ins Dorf. Im Bus durchlebte ich die Szene mit Samos Mutter noch einmal. Mir war klar, daß ich zu heftig geworden war. Und es ging mir auch gar nicht um das rote Kleid; das Kleid hatte einen Widerspruch offenbart, der meinen kindischen Trotz auslöste. Der Widerspruch, daß eine Frau in einem marxistischen Zentrum unterrichtete und auf alten Traditionen bestand. Das habe ich ihr übelgenommen. Und plötzlich spürte ich, wie sich dieser Groll auch auf Samo übertrug, der seiner Mutter nicht erklärt hatte, daß ich anders war. Weder traditionell noch fügsam. Und er? Weiß er, daß ich anders bin? fragte ich mich nun. Wußte er von meinen Wünschen? Daß unsere Ehe anders sein sollte als traditionelle Ehen? Keine Ehe, die festgelegten Mustern folgte? Hatten wir eigentlich darüber gesprochen, wie wir uns unser Eheleben vorstellten? Nein, das hatten wir nicht. Wir haben einander keine Fragen gestellt. Wir wollten nichts anderes, als vereinigt zu werden.

Heute frage ich mich, ob ich ihn geliebt habe. War es wirklich Liebe? Oder bot er mir nur eine Zuflucht? Eine bequeme, sichere Zuflucht, die mich aus einer komplizierten und bedrohlichen Welt erlöste? Wenn ich heute versuche zu verstehen, was im Kopf dieser einundzwanzigjährigen jungen Frau vorgegangen war, glaube ich, daß ich Samo wirklich geliebt habe. Ich liebte seine Berührung, seine Stimme, seine Blicke. In seiner Sanftheit führte er mich zu einer Sinnlichkeit ohne Angst, zur Intimität. Er gab mir das Gefühl, etwas Kostbares zu sein. Seine Zuneigung war beruhigend, unbefleckt und rein. Und ich denke, daß die Liebe, die erste Liebe, aus solchen ursprünglichen Bedürfnissen entspringt und nicht aus Überlegung oder Verstand.

Als ich den Fahrer bat, mich in der Nähe des Gasthofs aussteigen zu lassen, starrten mich alle an. Aber ich fühlte mich stark an diesem Nachmittag und ich war entschlossen, nichts darauf zu geben, was die Leute von mir dachten.

Ich betrat den Gasthof und ging schnurstracks auf den jungen, freundlichen Mann an der Rezeption zu. Ich sprach Englisch mit ihm.

»Ein Zimmer, bitte.«

»Ein Einzelzimmer?«

»Ja... Nein... Nein. Vielleicht warte ich doch besser. Kann ich bitte telefonieren?«

Verdutzt schob er mir das Telephon hin, ging dann einen Schritt zur Seite und wendete sich ab.

Ich wählte mit zitternden Fingern, die Nummer aus der Fabrik wußte ich auswendig, und bat, mit Samo verbunden zu werden.

Nach einiger Zeit hatte ich Samo am Apparat. Er war außer Atem.

»Ich bin's. Ich habe das Haus verlassen und bin nach Zwe gefahren, ich werde im Hotel übernachten.«

»Im Hotel übernachten?«

»Ja. Im Hotel. Es muß sein. Ich kann's dir jetzt nicht erklären.«

Nach einem Augenblick der Verwirrung und des Zögerns bat er mich, ein Doppelzimmer zu reservieren.

Ich fühlte mich vom Glück des Sieges überwältigt.

»Ein Doppelzimmer, bitte«, sagte ich zu dem jungen Mann an der Rezeption.

Er mußte ein Formular ausfüllen und fragte mich nach meinem Namen. Ich gab Samos Namen an. Er wollte sich vergewissern, ob er richtig gehört hätte.

Ich wiederholte den Namen.

»Sie sind Samos Zukünftige?«

»Ja.«

Er streckte mir die Hand entgegen.

»Schön, Sie kennenzulernen.«

»Sie kennen Samo?« fragte ich.

»Alle kennen ihn«, sagte er freundlich.

Er führte mich zu einem Zimmer im zweiten Stock, dessen Fenster auf den Wald hinausgingen, und sagte, es sei das schönste Zimmer des Gasthofs.

Ich konnte nicht im Zimmer bleiben, ich war zu aufgeregt.

Ich ging hinaus, spazierte in der zerfallenen Burg herum und lief den Hügel hinauf in den Wald.

Als ich unter einem großen Baum saß, ritzte ich mit dem Zimmerschlüssel meinen Namen und das Datum in die Rinde. Es war kalt, aber das kümmerte mich nicht. Ich fühlte ein Feuer in mir brennen. Ein Feuer der Rebellion, des Abenteuers. Und dort, in dieser ruhelosen Einsamkeit, dachte ich an Nuri. Ich stellte mir Nuri in Dubrovnik vor. (Samo glaubte, daß er mit seiner serbischen Freundin dorthin gefahren war.) Ich sah ihn laufen, auf einem weiten Sandstrand, Hand in Hand mit einer großen blonden Frau. Sie laufen hinunter zum Wasser, obwohl die Badesaison noch nicht gekommen ist, der Frühling gerade begonnen hatte. Doch in meiner Phantasie war es Sommer, und ich sah Nuri und seine Freundin lachen, Tennis spielen, in einem Café sitzen, sich betrinken und singend über die Straße gehen, einander leidenschaftlich begehren... Ich sah sie ihre Jugend feiern.

Während ich da saß, den Kopf an den Stamm einer alten Platane gelehnt, fragte ich mich, ob ich gerne an der Stelle dieser jungen Frau wäre. Ob ich glücklich dabei wäre, all diese Dinge mit Nuri zu tun. Nein, antwortete eine ernste Stimme in mir, nein, nicht mit ihm. Aber warum konnte er sich in meine Phantasie drängen? Warum waren meine Gedanken immer wieder bei ihm? Warum hat mich seine Erscheinung jedesmal wieder erregt, seit er mir Feuer gab, seit ich gerochen hatte, wie er roch, so körperlich und wild. Das blieb mir lange Zeit ein Rätsel.

Am Abend kam Samo in der Halle des Gasthofs auf mich zu. Er wirkte beunruhigt. Er drückte mich fest an sich und flüsterte, daß diese Schwierigkeiten bald ein Ende hätten.

Bevor er hierher gefahren kam, war er kurz zu Hause gewesen und hatte gehört, was vorgefallen war. Wir hatten uns in die Halle gesetzt und tranken Sliwowitz.

»Ich weiß, es ist im Moment nicht leicht für dich«, sagte er.

»Nein«, murmelte ich.

»Bald werden wir unsere Wohnung haben, dann werden wir frei sein.«

»Ich möchte gern wieder als Lehrerin arbeiten«, sagte ich und schaute ihn nicht an.

»Ja, das verstehe ich«, sagte er und streichelte meine Hand. »Das wirst du auch, später, da bin ich ganz sicher. Nur noch ein bißchen Geduld, Liebling. Alles wird in Ordnung kommen, nach der Hochzeit, du wirst schon sehen.«

Er dachte, ich könnte mich um eine Lehrerstelle bewerben, wenn wir erst einmal verheiratet wären, und meine Bewerbung würde sicherlich gerne gesehen werden. So würde ich meinen Weg hineinfinden in diese Gesellschaft. Aber ich wußte ja gar nicht, was ich dort lehren sollte. Die Ideale, mit denen ich einst in das abgelegene Dorf in Anatolien gefahren war, waren verflogen. Und sie gehörten hier auch gar nicht hin. Die Probleme der Bauern dort kannte ich. Die Probleme der Menschen hier nicht. Vom Leben hier verstand ich nichts und ich hatte keine Ahnung, wo mein Platz in dieser Gesellschaft sein könnte. Der einzige Platz, den ich kannte, war die beruhigende und angenehme Gesellschaft von Samo. Mehr konnte er mir nicht geben. Und viel Zeit würde er, der sich so leidenschaftlich der Arbeit in der Fabrik widmete, für mich nicht haben. Ich fühlte Zweifel in mir aufsteigen. Ich fühlte mein Leben immer enger, meine Begeisterung immer blasser werden. Und ich fragte mich an diesem Abend, wieso unser, wieso mein Leben eigentlich besser werden sollte, nur weil wir eine eigene Wohnung hätten und verheiratet wären. Samo wollte gar nicht mehr, als in Ruhe ein ganz normales Leben führen, gekrönt von seiner Arbeit und einer glücklichen Ehe. Abends würde er von der Fabrik heimkehren in seine Wohnung, seine Frau würde dort mit dem Essen auf ihn warten. Und an den Sonntagnachmittagen gingen wir manchmal hinunter in das Café am Flußufer. Abends bummelten wir in der Einkaufsstraße, wo er seine Freunde begrüßen könnte und den neuesten Klatsch der Kleinstadt erzählt bekäme. Er könnte, so oft er wollte, seine Familie besuchen. Ich jedoch würde es langsam bereuen, daß ich nach ihm gerufen und mich entschlossen hatte, mit ihm wegzugehen, ohne ihm gesagt zu haben, daß ich von einer Befreiung und nicht von Einschränkung geträumt hatte.

Er sagte, daß wir doch in diesem Gasthof bleiben könnten, bis er eine andere Bleibe für uns gefunden hätte. Das Zimmer war sehr teuer, aber es kümmerte ihn nicht.

»Ich kann die kleine Kamera verkaufen und die anderen Sachen, die ich aus New York mitgebracht habe«, sagte er.

Und als ich dort am Kamin saß und in der Ferne den dichten Wald im Abendlicht sah, fragte ich mich, ob ich ihm nicht von den in mir wachsenden Zweifeln erzählen müßte. Ich tat es nicht. Ich hatte das Gefühl, daß ich gar nicht mehr zurück konnte. Ich hatte die Brücken hinter mir eingerissen, und Samo war doch so gut zu mir.

In dieser Nacht liebten wir uns so zärtlich und so traurig.

Samo mußte um sieben Uhr losfahren, zur Arbeit. Es regnete. Ich blieb noch eine Weile im Bett liegen. Im Gasthof herrschte Stille. Ich wußte nicht, was ich mit dem Tag anfangen, wie ich mir die Zeit vertreiben sollte. Und so kam ich mir vor wie eine Fremde. Herausgerissen aus allem. Ich vermißte mein Leben in der Türkei. Was ich daran vermißte, hätte ich nicht sagen können. Den Geruch des Meers, den Duft der Blumen, der Früchte? Die Sprache, in die ich hätte eintauchen können? Die Gesten, die Gesichter, die ich wiedererkennen würde, die Nachrichtensendungen, denen ich folgen konnte, die Sorgen, die ich teilen konnte, die Lieder, den Zorn, die Rebellion, die Diskussionen und Ideen. Ich dachte an Menschen, die wegen ihrer Gedanken im Gefängnis saßen. Sie wußten, warum sie eingekerkert worden waren. Sie litten und waren gleichzeitig stolz. Und mir, die es vorgezogen hatte, sämtlichen Gefahren zu entfliehen und mit Samo mein Glück zu suchen, mir erschien meine Zukunft mit ihm in dieser kleinen Stadt allmählich wie ein Kerker, der mir doch alles andere wie ein Kerker hätte vorkommen dürfen, denn schließlich war ich im Namen der Liebe hier. Plötzlich erschien mir beides gleichermaßen bedrohlich, die Rückkehr nach Hause und das Leben in der Fremde. Das war mein Exil. Ein Exil, das keine Ehre machte, das so gar nichts Heroisches hatte. Ich fühlte, daß ich gescheitert war. Ich ging hinaus ins Freie, stieg zum Wald hinauf. Die Luft im dichten Wald war erfrischend, die dicken hohen Stämme zeigten Stärke. Ich schritt rasch voran, tief in den Wald hinein, ohne Angst zu haben. Das war es. Plötzlich wußte ich, daß ich in Jugoslawien nirgendwo Angst hatte. Hier fühlte ich mich sicher. Geschützt. Als ich zum Gasthof zurückging, war mein Kopf klar. Ich schrieb meiner Mutter einen Brief, in dem ich ihr mitteilte, alles sei gut, und die Hochzeit werde bald stattfinden.

Später am Nachmittag rief Samos Mutter an. Sie hätte mich doch gern, sagte sie, und habe es nur gut gemeint, als sie darauf bestanden habe, daß ich mich wie eine richtige Braut kleiden oder auf dem Stuhl neben der Tür sitzen solle. Sonst würden doch Gäste und Verwandte nicht viel von mir halten. Sie verstehe ja, daß mir als einer gebildeten jungen Frau die alten Sitten fremd seien, daß ich eine moderne Sicht der Dinge hätte. Und sie wolle ja nicht auf ihrem Standpunkt bestehen. Aber es mache ihr Sorgen, daß ich in ein Hotel geflohen sei, was dazu noch ziemlich teuer sei. Ob ich denn darüber nachgedacht habe, was die Leute dazu sagen würden? Alles sei doch bereit für die Hochzeit, und es werde bestimmt eine der glänzendsten Hochzeiten werden, die die Stadt je gesehen hätte. Ob wir denn diese unwichtigen Probleme nicht einfach vergessen könnten, die nur aus einem Mißverständnis herrührten?

Ich sagte, ich würde nur dann zurückkehren, wenn sie ihren Gästen erklärte, daß ich den tscherkessischen Sitten nicht folgen wollte. Sie stimmte zu. Am frühen Morgen des nächsten Tages brachte mich Samo zurück nach Vitche.

18

Jetzt stehen sie im Gang und schauen aus dem Fenster. Die Frau lacht und sie lacht wie eine Frau, die weiß, wie gefährdet die Liebe ist. Ich sehe beide von der Seite. In Nuris Gesicht erkenne ich die unverbesserliche Lust daran, zu verführen und zu täuschen. Und mit seinem Blick versetzt er mich zurück an jenen Nachmittag vor zweiundzwanzig Jahren. Hatte ich wirklich vergessen, die Badezimmertür abzuschließen, als ich damals in die Dusche stieg? War ich sicher, daß niemand hereinkommen würde zu dieser Zeit? Hatte Nuri denn nicht gehört, daß die Brause lief, bevor er die Tür öffnete?

Ich habe weder gehört noch gesehen, wie die Badezimmertür aufging, in meinen Ohren war das Rauschen des Wassers, und meine Augen waren geschlossen. Vielleicht habe ich auch gesungen, wie oft, wenn ich mich alleine an fremden Orten aufhalte. Lieder, die ich von meiner Großmutter und von meiner Mutter gelernt hatte, alte Lieder. Vielleicht sind sie meine Wurzeln, diese Lieder; die Wurzeln meines Herzens und nicht meines Geistes. Manchmal denke ich, mein Herz ist im Orient gewachsen, mein Geist dagegen hat sich im Norden, in der westlichen Welt entwickelt. Doch es sind immer die langen, langen Lieder meiner Kindheit, zu denen ich zurückkehre, wenn ich einsam bin oder von Zweifeln geplagt werde.

Ja, wenn ich jetzt darüber nachdenke, bin ich mir sicher, daß ich gesungen habe, als an jenem Nachmittag die Badezimmertür von verstohlener Hand geöffnet wurde. Darum habe ich nicht gehört, wie Nuri hereintrat. Oder versuche ich immer noch zu behaupten, ich sei an der Sache unschuldig?

Als ich meine Augen öffnete und sah, wie er da auf der Schwelle stand, schluckte ich. Dort stand er und schaute mir ohne Verlegenheit zu. Ich erinnere mich nicht daran, daß er um Verzeihung gebeten hat. Sein Ausdruck war der eines Mannes, der das Recht hat, den Körper einer Frau zu betrachten. Immer noch eingehüllt vom rauschenden und plätschernden Wasser, voller Verwirrung und Verlegenheit sah ich ihn an. Sein weißes Hemd stand offen; ich konnte die pfirsichfarbene Haut sehen. Er stand in der

Tür, wortlos und versunken. Plötzlich geschah etwas Unerwartetes: Meine Schüchternheit fiel ab von mir, und ich fühlte die Macht meines Körpers, spürte die Form meiner Brüste, meines Bauchs... Und über meine nasse, dampfende Haut kroch eine heimtückische Erregung. Ich erinnere mich an das Lächeln, das sich auf meine Lippen stahl. Und genau in diesem Augenblick wandte er sich ab und ging. Leise schloß er die Tür. Ich war allein mit meiner ersten Regung von Untreue, mit meinem Zorn.

19

Ein klappriger Bus holperte über die gewundene Straße zwischen den mächtigen hohen Bergen. Ein leuchtender Himmel und dichte Wälder. Wir fuhren zu einer Hochzeitsfeier nach Bosnien. Gullu, Samos Cousine, saß neben mir, ihre braunen Augen leuchteten hervor aus ihrem fleischigen Gesicht. Sie arbeitete in einer Kindertagesstätte, und es schien, als ob sie mit ihrem Pony und ihrer zwitschernden Stimme selbst ein kleines Mädchen bleiben wolle. Wir plauderten vertraut miteinander, während wir durch die Berge von Montenegro fuhren, deren Gipfel von Schnee bedeckt waren.

»Wir sind alle auf dieselbe Schule gegangen«, sagte sie.

»Wie war Samo, als er klein war?« fragte ich.

»Ach, sehr süß. Und auch sehr fleißig.«

»Und Nuri?«

»Nuri... Oh, der war ein Spitzbub. Er kletterte über jede Mauer und am liebsten ärgerte er Mädchen.«

»Wie?« fragte ich. Ich wollte mehr über Nuris Kindheit hören.

»Einmal… einmal hat er meine Schürze hinten aufgeknöpft, während ich mich mit meinen Freunden unterhielt.« Gullu kicherte. »Ein andermal heftete er einem Mädchen ein Stück Papier auf den Rücken, worauf stand: Ich liebe Nuri. Alle Kinder haben gegickelt und gekichert, und das arme Mädchen wußte nicht, warum.«

»Wen von beiden hast du lieber gemocht? Samo oder Nuri?« fragte ich.

Sie zog ein Gesicht, ich konnte sehen, wie schwer ihr die Entscheidung, das Eingeständnis fiel. »Ich hatte Samo sehr gerne, habe es immer noch.«

»Und Nuri?«

»Er verursacht immer Schwierigkeiten, aber er hat ein gutes Herz.«

»Was für Schwierigkeiten?«

»Ach… er bleibt nie bei einer Frau, er stürmt von einer zur andern. Ich glaube nicht, daß er ein guter Ehemann wird.«

»Und Samo?« fragte ich, obwohl ich die Antwort schon kannte.

»Ich bin mir sicher, er wird ein perfekter Ehemann sein.«

Ich nickte und schaute aus dem Fenster. Immer neue Berge, immer neue Kurven, dichter tiefgrüner Wald.

Gullu begann, sich auf Serbokroatisch, aber in derselben zwitschernden Stimme mit Samos Mutter, die hinter uns saß, zu unterhalten.

»Wie sagt man: ›Fahren Sie bitte langsamer. Ich habe Angst‹ auf Serbokroatisch?« fragte ich Gullu.

Sie sagte es mir vor und ließ mich es zweimal wiederholen. Ich stand auf und sagte es dem Fahrer, einem gedrungenen Mann. Er gab mir eine Antwort, und alle lachten.

Gullu übersetzte seine Worte für mich: »Für dich, schönes Mädchen, fahre ich gern langsamer.« Sein onkelhafter Blick war so überzeugend, daß die tiefen Schluchten ihren Schrecken verloren.

Es wurde allmählich kalt im Bus. Die Straße ähnelte immer mehr einem Saumpfad. Der Bus polterte über Steine und durch die Pfützen und Rinnsale, die der schmelzende Schnee hinterlassen hatte.

Als die hohen zerklüfteten Berge hinter uns lagen, war ich erleichtert, die in der weiten Ebene verstreuten Dörfer Bosniens zu erblicken.

Wir verließen den Bus in einer kleinen Stadt. Wie hieß dieses Städtchen? Ich weiß es nicht mehr.

Ich könnte Nuri fragen. Er hat sich wieder hingesetzt und bringt seine Frau zum Lachen. Ihr rundlicher Körper scheint gewöhnt an schwere Arbeit und einfache Freuden; ich kann die Bewunderung in ihren großen braunen Augen sehen, wenn sie Nuri anschaut. Ich kann Nuri nicht nach dieser kleinen Stadt fragen, diesen erschöpft wirkenden Immigranten. Ich drehe mein Gesicht wieder zum Fenster hin und versuche, Ansichten dieser Stadt in mein Gedächtnis zu rufen. Viele moderne Bauten, eine asphaltierte Straße und kleine Läden im unteren Teil der Stadt. Die obere Stadt wirkte eher wie ein Dorf; Pferde, Ziegen, Hunde und Kinder. Kleine, weit über den Hang verstreute Häusei; die weiß getüncht aneinander kauern, über jedem Schornstein Rauch, der emporsteigt wie bedächtig winkende Arme. Ein Bach stürzt von den schneebedeckten Bergen ins Tal, hier und da kleine Wasserfälle. Steile und enge Gassen. Häuser mit kleinen Vorgärten.

In einen dieser Gärten sind wir hineingegangen. In einer Ecke befand sich eine riesige Kupferpfanne über einem

Holzfeuer, und zwischen zwei Bäumen hing eine selbstgefertigte Schaukel. Von zwei Frauen, die geblümte Baumwollkleider trugen und nach Kernseife rochen, wurden wir mit offenen Armen empfangen.

Man zeigte uns den Weg zu einem kleinen Zimmer, das voller Frauen war, die auf Diwans oder auf kleinen Holzstühlen saßen. In einer Ecke glühte ein kleiner Holzofen. Die Vorhänge aus weißer Baumwolle und die Tücher über den Diwans waren bunt bestickt. Das Zimmer roch nach Rosenwasser und Kaffee. Jedesmal, wenn ein neuer Gast eintrat, erhoben sich die Frauen, nur die sehr alten blieben sitzen. Zur Begrüßung küßten sie einander dreimal auf die Wange und dreimal fragten sie: »Wie geht es dir? Geht es dir gut?« Eines der Mädchen bot den Gästen türkischen Honig an, ein anderes machte die Runde mit Kaffee, ein drittes wiederum besprengte unsere Hände mit Rosenwasser.

Immer wieder wurde ich gefragt, ob es mir gutgehe, ob ich auch bequem sitze, ob mir etwas fehle.

20

Am späten Nachmittag wurde ein niedriger Holzhocker mit einer Platte darauf in die Mitte des Zimmers gestellt. Die Frauen setzten sich der Reihe nach in Gruppen um diesen Tisch auf den Boden. Ihre Suppe aßen sie zierlich mit dem Löffel, das Baklava dann mit den Fingern. An einer weißen bestickten Serviette, die ein Mädchen ihnen reichte, wischten sie sich die Finger ab.

Nach dem Mittagessen wurde die Braut hereingeführt und in der Mitte des Zimmers auf einen Stuhl gesetzt. Ihr großes Gesicht war gebräunt von der Sonne, ihre rundlichen Wangen leuchteten in hellem Rot. Sie trug bereits ihr weißes Kleid aus Satin. Zwei junge Frauen begannen damit, ihr volles kastanienbraunes Haar mit einem heißen Lokkenstab in Wellen zu legen. Ihre mandelförmigen Augen hatte sie niedergeschlagen, und sie schwieg die ganze Zeit.

Als wir ein wenig miteinander spazierengingen, erzählte mir Gullu, daß die Braut aus einem entlegenen Bergdorf stamme. Die Mutter des Bräutigams habe sie ausgesucht. Braut und Bräutigam hätten einander vor der Verlobung nur einmal gesehen.

»Das hätte ich nicht für möglich gehalten, in einem sozialistischen Land«, sagte ich.

»Es ist nicht mehr üblich, aber in tscherkessischen Familien werden solche Sitten manchmal noch gepflegt«, antwortete sie.

Gegen Abend kamen nach und nach die Männer zu der Feier. Sie kamen von der Arbeit im Bergwerk. Die Männer gingen nach oben. Dort wurden ihnen Raki und Meze angeboten. Nach einer Weile begann die Musik zu spielen, von oben hörten wir Saiteninstrumente, stampfende Rhythmen und lange melancholische Lieder. Als der Abend voranschritt, fingen die Männer an zu tanzen, und das winzige Häuschen erzitterte von ihren schweren Schritten. Im Erdgeschoß bemalten zwei Mädchen das Gesicht der Braut mit einem dicken Make-up. Die Braut lächelte nicht, sie wechselte mit den anderen Frauen auch keinen Blick. Sie sah aus, als habe sie sich in ein inneres

Mysterium zurückgezogen. Als ihr der Brautkranz aus weißen künstlichen Rosen aufs Haar gesetzt wurde, blickte sie ins Weite.

Ein nicht sehr großer, junger Mann in dunkelblauem Anzug und weißem Hemd betrat den Raum. Der Bräutigam. Er küßte den alten Frauen die Hand und begrüßte die jüngeren mit Handschlag. Er schaute seine Braut nicht an, und auch sie hob den Blick nicht. Er ging hinauf, um sich zu den Männern zu gesellen.

Einige Zeit später begleiteten zwei junge Frauen die Braut in das eheliche Schlafzimmer. Dann wurden die Gäste hineingebeten. Die Braut saß auf einem Stuhl, neben dem Bettgestell aus Messing. An den Wänden entlang war ihre Aussteuer ausgestellt: handgeknüpfte Spitze, Porzellanteller, Gläser; Kupferpfannen.

Samo traf erst nach Einbruch der Dunkelheit ein und ging zuerst in das winzige Wohnzimmer. Ich hörte, wie er seiner Mutter sagte: »Ich habe Nuri mitgebracht.«

»Ach wirklich? Bravo, Samo«, sagte seine Mutter, »also hast du ihn überredet.«

»Warum kommt er nicht, die Frauen zu begrüßen?« fragte die Mutter des Bräutigams.

Bei der Frage lachten alle.

»Er ist schon oben«, sagte Samo und deutete zur Decke.

»Paß auf ihn auf. Sieh zu, daß er sich nicht betrinkt«, sagte seine Mutter.

»Laß ihm doch seinen Spaß. Heute ist ein besonderer Tag«, sagte eine der Frauen.

Nun kam Samo zu mir herüber und küßte mich auf die Wange.

»Geht es dir gut?« fragte er.

»Bald sind Sie an der Reihe«, rief eine Frau um die Vierzig, die in der Nähe des Ofens saß.

Alle lachten. Samo küßte den alten Frauen die Hand, und ich konnte sehen, daß sie ihm etwas ins Ohr flüsterten, worauf er mich jedesmal anblickte und mir zuzwinkerte. Dann ging auch er nach oben zu den anderen Männern, die immer lauter wurden, während die Frauen im Erdgeschoß sich friedlicher vergnügten: sie schwatzten, neckten einander, kicherten miteinander.

Und dann erhoben sich zwei Mädchen und begannen mit feinen Bewegungen zu tanzen, schnippsten mit den Fingern dazu. Die Frauen sangen zusammen, klatschten den Rhythmus mit den Händen, aber ihre Stimmen wurden übertönt vom schweren Stampfen und den Trommelschlägen, die gedämpfter aus dem Obergeschoß ertönten.

Plötzlich verstummte das lärmende Treiben oben. Eine männliche Stimme erklang, jemand sang. Ich erkannte Nuris Stimme. Ich konnte die Worte nicht verstehen, aber ich spürte die Leidenschaftlichkeit dieses wild klagenden Liedes. Alle im Haus schwiegen nun, um ihn zu hören. Dann ertönte von oben Applaus, und die Schläge der Trommel erschollen erneut.

Spät in der Nacht folgte ich Gullu in den Garten, die mit ihrer Taschenlampe den Weg beleuchtete. Es war kalt, aber der Himmel war klar; und ein großer Mond stand dort oben.

Sie führte mich zum Klo. Dann hörte ich, wie sie mit jemandem sprach. Eine lachende, männliche Stimme, eine betrunkene Stimme. Nuris Stimme.

Als ich herauskam, fand ich sie am anderen Ende des Gartens; Nuri saß auf der Gartenmauer, und sie stand vor ihm. Ich errötete.

»Hallo, Schwägerin!« rief er, »bald bist du dran.«

Ich verstand die Andeutung sehr wohl.

»Nicht auf diese Art«, sagte ich.

»Oh nein, nein. Du bist auch kein Mädchen aus den Bergen Montenegros«.

Er sprang auf und ging schwankend in die Mitte des Gartens. Dann hörte ich das Quietschen der Wasserpumpe und das Platschen von Wasser. Er spritzte sich Wasser ins Gesicht und lachte. Ich schaute ihm zu und wünschte mir, Gullu würde verschwinden und mich mit ihm alleine lassen. Ich wollte mit ihm im Dunkeln auf der Gartenmauer sitzen, in den Himmel schauen und ihm mein Herz ausschütten. Ja, ich wollte Nuri, diesem betrunkenen, verrückten Nuri erzählen, daß ich gerne etwas Verrücktes, etwas Unvorhersehbares tun würde. Wenn nur Gullu verschwinden würde. Aber Gullu ließ mich nicht mit ihm allein; nein, sie führte mich ins Haus und ging selbst in den Garten zurück.

Als die Feier vorüber war und die einheimischen Gäste nach Hause gegangen waren, wurden Samo und ich in ein Nachbarhaus geführt. Dort stand ein Doppelbett für uns bereit. Er fragte mich mit einer müden Stimme, ob es mir gefallen hätte.

Es habe mir nicht gefallen, wie man die Braut behandelt hatte.

»Ach ja«, flüsterte er, »diese ganzen absurden Traditionen…«

Er erklärte mir, daß jetzt ein Mitglied der Familie, den

man den ›Onkel‹ nannte, draußen vor der Tür des ehelichen Schlafzimmers warten mußte, und nachdem der Bräutigam seine Braut entjungfert hatte, würde dieser Mann das blutbefleckte Laken bekommen und es der Familie des Bräutigams zeigen. Damit wäre die Braut in die Familie aufgenommen. Und wenn kein Blut auf dem Laken sein sollte, dann würde das zu großen Verwicklungen führen. Die Braut würde zurückgeschickt zu ihrer Sippe, und diese würde sich beleidigt fühlen und auf Rache sinnen.

»Rache? Auf welche Weise?«

»Auf jede Weise«, sagte er, und seine Stimme wurde zu einem erschöpften Flüstern. Dann schlief er ein.

Ich war unruhig, spürte die Stille körperlich, die über das Haus und die Stadt gekommen war. Ich fragte mich, ob Nuri wohl auch schliefe. Und in dieser Nacht hatte ich den Wunsch, etwas Unmoralisches zu tun, gegen die Regeln zu verstoßen. Wollte zerstören. All die Menschen um mich herum beleidigen, denn ich konnte die Enttäuschung nicht mehr ertragen. Ich schob die Decke von meinem Körper und saß eine Zeitlang im Bett, fühlte das Rauschen meines Blutes. Ja, ich wollte den Mann verletzen, der voller Vertrauen neben mir schlief. Ich nahm es ihm übel, mich in dieses Land gebracht zu haben, in ein Land, das ich mir so ganz anders vorgestellt hatte. Ich nahm es ihm übel, daß er sein Volk nicht von seinen Traditionen befreit hatte. Ich nahm ihm übel, daß er so anständig, so beliebt war. Und ich erhob mich, voller Zorn, ergriffen von einem übermächtigen Drang, mich schuldig zu machen. Ich wollte das Haus verlassen und ihn suchen. Nuri, der meinen Brautstand verletzen, seinen Bruder betrügen sollte. Mit

Nuri wollte ich in die wilden gefährlichen Berge Montenegros fliehen, mich in einer Höhle verstecken, mein Nachthemd sollte er zerreißen, meinem demütigen und friedlichen Körper Schmerzen zufügen. Zerstören sollte er mich, das wünschte ich mir in dieser Nacht, ich wollte Begierde in ihm entfachen und das nicht aus Glückseligkeit, sondern aus Groll. Mit einem Feind wollte ich schlafen. Nicht das sanfte Glück mit Samo, die wilde, spontane Befriedigung wollte ich, die in der Rebellion entsteht. Ja, das wollte ich tun in dieser Nacht, in der ein stilles Mädchen aus den Bergen in Angst und Schrecken die Zeremonie der Entjungferung über sich ergehen lassen mußte und es um nichts anderes ging als um das Blut der Unbeflecktheit. Ich wollte mich rächen für sie, wollte alle Anwesenden schokkieren und dann verschwinden. Nicht mit Nuri. Nein. Er würde mich nicht bekommen. Nur die Rebellion, die würde ich mit ihm teilen.

Im schwachen Licht der Straßenlaterne, das durch den Baumwollvorhang hineinschimmerte, sah ich Samos Profil. Er schlief, tief versunken in sich, als könne er nur jetzt etwas für sich tun und alleine sein.

Ich stand und schaute auf ihn hinunter, stand, bis ich zitterte vor Kälte und Fieber. Und dann war ich froh, daß Gullu mich nicht mit Nuri alleine gelassen hatte, daß ich auf den richtigen Weg zurückgekehrt war; zu Samo, meiner Zuflucht in dieser Welt voller Enttäuschungen und Widersprüche. Ich glitt unter die warme weiche Decke, legte meinen Kopf an seine verläßliche Schulter und schlief ein.

Das erste Geräusch, das die Stille zerriß, war das lange bittere Heulen einer Fabriksirene. Dann ertönte in der Ferne das Krähen eines Hahns, es roch nach Holzrauch und gekochter Milch.

Ich ging spazieren. In den leuchtend hellen Himmel ragten die scharf geschnittenen Gipfel der Berge, im Garten glitzerten die Tautropfen im frühen Licht. Ich fühlte die Freude der Unschuld.

Bevor wir nach Hause zurückkehrten, gingen Samo und ich in das große elegante Hotel in der unteren Stadt, setzten uns in die Halle und tranken Kaffee. Ich weiß noch, daß ich einem Ochsenkarren zugeschaut habe, der auf der vielbefahrenen Straße nur langsam vorankam. Der Fahrer trug eine unförmige Mütze aus Stoff. Er schien so zufrieden auf seinem Karren, er achtete nicht auf die Stockung im Verkehr, die er verursachte, sondern bewegte sich, als sei er immer noch auf seinen Feldern. Der Kontrast zwischen ihm und der belebten Verkehrsstraße blieb in meinem Gedächtnis haften. Ich fühlte mehr Mitleid mit dem Fahrer des langsamen Karrens als mit den ungeduldigen Autofahrern. Ich erinnere mich daran, daß ich Samo meine Gedanken mitgeteilt und ihn gefragt habe, warum Menschen in einem sozialistischen Staat eigentlich private Autos brauchten. Autos, sagte er, geben Freiheit, außerdem sind sie gut für die Volkswirtschaft.

»Warum sollten sozialistische Länder arm und rückständig bleiben?« fragte er. Seine Antwort überzeugte mich nicht. Sie schien mir widersinnig, genauso wie seine enge Bindung an eine Fabrik, die Metalle für Autobatterien aufbereitete.

21

Samos Mutter war entschlossen, nach Istanbul zu fahren, um mein Hochzeitskleid zu kaufen. Ich fand das unnötig. Warum wir denn nicht einfach in den Laden in Skopje gingen, fragte ich sie, dort Stoff kauften und ihn zur Schneiderin brächten.

Über dreihundert Gäste würden zur Trauung ins Rathaus kommen, mein Kleid müsse also von der allerbesten Qualität sein. Sie blieb dabei, sie würde nach Istanbul fahren. Niemand konnte sie davon abbringen. Wenn sie das Wort ›Istanbul‹ aussprach, funkelten ihre großen grünen Augen wie die einer Frau, die ein heimliches Treffen mit ihrem Liebhaber arrangiert. Aber sie war keine Frau, die eine solche Schuld auf sich laden würde; sie hatte die Gabe, ohne Schuld zu leben, und sie war die Chefin ihres Clans.

Noch vor Sonnenaufgang fuhr Samo sie zum Busbahnhof. Ich war schon wach, doch ich blieb im Bett liegen. Während sich das Geräusch des Wagens allmählich in der Ferne verlor, starrte ich hinauf zur Decke, und Groll nagte an mir. Daß sie sich mit dem Kauf meines Hochzeitskleids so viele Umstände machte, verpflichtete mich zu Dankbarkeit, und ich wollte nicht dankbar sein. Meine Augen wanderten die Wände entlang, und ich dachte, wie schön es wäre, wenn Samo und ich alleine in diesem Haus leben könnten und nicht in einer winzigen Wohnung im sechsten Stock in einem dieser Betonklötze. Die osmanischen Wandteppiche und das Bild der türkischen Schönheitskönigin mit dem goldenen Rahmen würde ich hinauswerfen.

Ich würde die Wände kahl fegen. Aber was ich dann hätte aufhängen wollen, das wußte ich nicht.

22

Es riecht nach Apfelsinen. Ißt denn jemand Apfelsinen hier im Zug? Oder tragen die Erinnerungen Düfte mit sich? Kleine verschrumpelte Apfelsinen, ausgestellt auf dem Verkaufstisch des winzigen Gemüseladens in Vitche.

»Soll ich dir eine Apfelsine kaufen?« hatte Samo gefragt.

Wie gerne aß ich Apfelsinen, aber die aus dem Laden mochte ich nicht.

»Wir werden keine besseren bekommen, Apfelsinen sind hier eine Seltenheit«, sagte er.

»Warum?« fragte ich.

»Weil sie bei uns nicht wachsen, und weil wir sie nicht importieren.«

Und ich wollte in einem Land leben, in dem es keine Apfelsinenbäume gibt?

Ich vermißte die frischen Apfelsinen der türkischen Mittelmeerküste.

Auf dem Weg nach Hause blieben wir vor dem Betongebäude stehen und schauten hinauf zum sechsten Stock. Unser zukünftiges Heim, zwei kleine Fenster und ein winziger Balkon.

»In zwei Monaten wird sie uns gehören«, sagte Samo. »Wir sind auf den ersten Platz der Liste gerückt.«

»Es wird laut sein«, sagte ich und wies auf den Verkehr.

»Wenn wir Kinder haben, können wir uns um eine bessere Wohnung bewerben«, sagte er und schaute mich mit großen sanften Augen an, so als wartete er auf ein Versprechen von mir. Ich blickte weg, schaute in die Ferne, ich konnte seine Begeisterung nicht teilen. Ich konnte mir einfach nicht vorstellen, wie ich hier in dieser kleinen Wohnung an dieser lauten Straße in dieser grauen Stadt wohnen würde.

Ich schob die Hände tief in die Taschen meines grünen Mantels. Ich fühlte mich alt werden, nie wieder würde ich jung sein, den Rest meines Lebens müßte ich als alte Frau verbringen.

Am Abend schauten wir Fernsehen. Im Arbeitszimmer von Samos Vater. Wir tranken Tee. Alle waren versammelt, Samo, Nuri, der Vater, der kleine Rami und ich. Es war, als säßen wir in einem winzigen Kino. Vater schaute gelegentlich zu mir herüber und lächelte, fragte, ob ich den Film verstehen würde. Ich nickte. Es war eine Liebesgeschichte, der Film spielte im Krieg. Nuri war sehr laut. Entweder klatschte er Beifall oder er schimpfte. »So ein abgedroschenes Zeug!« Ja, es war eine Liebesgeschichte, die Geschichte eines jungen Partisanen im Zweiten Weltkrieg.

Der Partisan arbeitet als Schaffner in einem Zug, und der Zug kann jederzeit in die Luft fliegen, denn die Bahnlinie wird oft beschossen. Der Partisan, ein junger hübscher Mann, liebt ein junges Mädchen, das ebenfalls zu den Partisanen gehört. Aber er kann nicht mit ihr schlafen, weil er so schüchtern ist. Im Verlauf des Films trifft der Held in einem Gasthaus beim Bahnhof auf eine reife, sehr sinnliche Frau; sie ist um die Dreißig, hat Geduld und Erfahrung und nimmt sich des Partisanen an, natürlich ist auch sie Partisanin. Sie spricht zärtlich mit ihm, streichelt ihm

Haar und Schläfen, ermutigt ihn. Der junge Mann entspannt sich, sein Zutrauen wächst, und schließlich gehen sie zusammen ins Bett. Beide mit der Gewißheit, daß ihre Verbindung keine Zukunft haben würde.

Diese Szene habe ich nie vergessen. So wenig wie das Verlangen nach Nuri, das in mir emporstieg. Nach diesem eigenwilligen und unruhigen jungen Mann, der uns bald verlassen würde.

Am Ende kann der Partisan mit dem jungen Mädchen, das er liebt, schlafen. Und die Geliebte der einen Nacht, die reife, zärtliche Frau, bleibt zurück. Als der Film zu Ende war, klatschte Nuri Beifall. Samo lächelte mich gerührt an. Der kleine Rami war auf dem Schoß des Vaters eingeschlafen, hatte seinen Kopf an dessen Schulter gelehnt.

Auf den Film folgten Nachrichten. Bilder von Tito und Männern in dunklen Anzügen. Reden und Beifall... Nuri erhob sich und ging nach draußen. Samo trug seinen kleinen Bruder ins Zimmer der Mutter. Ich blieb zurück, verfolgte die Nachrichtensendung, verglich die Politiker mit denen in Ankara. Dieselbe steife Ernsthaftigkeit. Samo kehrte zurück und mühte sich, die Reden für mich zu übersetzen.

Mitten in der Nacht erwachte ich. Samo schlief fest, es war sehr still im Haus. Ich zog meinen Bademantel über und ging in die Küche. Zum ersten Mal in meinem Leben rauchte ich mitten in der Nacht eine Zigarette, allein auf einem Stuhl in einer kalten Küche. Ich saß dort, bis meine Füße kalt wurden, erst dann kehrte ich zurück ins Bett. Schlaftrunken murmelte Samo: »Mein Liebling.« Er drehte sich um und umarmte mich.

»Ist dir kalt?« fragte er.

»Ja«, flüsterte ich.

Er wärmte mich. Ich hatte das Gefühl, kein anderer auf der ganzen Welt würde mich, mitten in der Nacht aus dem Schlaf gerissen, mit so bedingungsloser Liebe in den Arm nehmen.

Ich weiß nicht mehr genau, wann ich die Spielkarten fand.

Warum habe ich die Schublade aufgezogen? War es beim Abstauben der Kommode, die im Wohnzimmer stand, oder hat mich einfach Neugierde getrieben?

Ich habe die Schublade aufgezogen und ein Paket Spielkarten gefunden. Made in Germany. Auf der Rückseite jeder Karte war das Photo einer nackten Frau, einer jungen Frau in erotischer Pose. Ich hätte die Karten am liebsten in den Mülleimer geworfen oder sie verbrannt. Gehörten sie Samo? Dann hätte ich meinen ganzen Glauben an ihn verloren. Aber sie gehörten sicher Nuri. Sie paßten in seine dunkle Welt. Und er konnte seine Glaubwürdigkeit nicht verlieren, denn in meinen Augen hatte er keine.

Ich begann, die Frauenbilder näher zu betrachten, heimlich, eines nach dem anderen. Mein Ärger wuchs, und auch meine Erregung. Da hörte ich, wie es an der Tür schellte. Zitternd legte ich die Karten zurück in die Schublade, unter ein Tuch. Ich hörte tiefe Stimmen... Besuch für Samos Vater. Sie gingen in sein Zimmer. Ich stand neben dem Fenster. Ich hörte es an der Tür klopfen, dann die sanfte, höfliche Stimme von Samos Vater, der mich bat, Tee zu kochen und ihn in sein Arbeitszimmer zu bringen.

»Ist recht«, sagte ich. Mein Hals war trocken.

Nachdem ich den Tee serviert hatte, eilte ich aus dem Haus.

23

Schwarze Bohnen. Ich lächele, als ich wieder daran denken muß, welches Theater ich um einen Teller schwarzer Bohnen gemacht habe. Hoffentlich schauen Nuri und die Frau nicht her und sehen mein Lächeln. Nein, sie schauen nicht her. Dort sitzen sie, Händchen haltend. Schauen einander in die Augen. Gleich werden sie sich küssen. Ich schaue wieder aus dem Fenster. Mondbohnen, schwarze Mondbohnen… Ich könnte gleichzeitig lachen und weinen.

Mondbohnen, gekocht in einer scharfen, würzigen Tomatensoße, die an einen warmen, fruchtbaren Boden erinnerte. Der sinnlich scharfe Geschmack von Chili. Hat dieser Geschmack mich aufgereizt zu meiner Rebellion gegen Samo?

Sie haben mich überrascht, mit einem schön gedeckten Tisch in der Küche.

»Sie ist da! Sie ist da!« riefen alle durcheinander, als ich eintrat.

Nuri fragte mich neckend, ob ich einen hübscheren als Samo gefunden hätte.

»Ich würde Samo gegen niemanden in dieser Stadt tauschen«, sagte ich. Samos Gesicht strahlte vor Zufriedenheit.

»Na ja, zum Abendessen hast du es gerade rechtzeitig geschafft. Das bedeutet, daß deine Schwiegermutter dich sehr gern hat«, sagte Nuri, der die Neckerei nicht lassen konnte.

Das mit der Schwiegermutter ist ein türkischer Scherz.

»Ich konnte die Mondbohnen schon auf der Brücke riechen, nur darum habe ich mich beeilt«, sagte ich. Nuri lachte.

Der kleine Rami, der sich auf sein Essen konzentrierte, hob den Kopf und schaute ihn verwirrt an.

»Warum lachst du?« fragte er.

»Über dich«, sagte Nuri, »denn du verschlingst das Essen wie ein hungriger Wolf.«

Beleidigt hörte Rami auf zu essen.

Samo strich über sein blondes Haar. »Er lacht dich nicht aus, iß nur weiter.«

»Er ärgert mich immer«, murmelte der kleine Junge und deutete auf Nuri.

»Weil er dich gern hat«, sagte Samo.

»Weil ich es gern habe, wenn du zornig wirst«, sagte Nuri. Ich schaute Nuri an, sah seinen Mutwillen. Und mußte mir schon wieder eingestehen, daß er mich anzog. Er hatte etwas, das ich damals dringend brauchte, etwas Herausforderndes. Das hatte Samo nicht. Nuri war wie ein Eroberer; während Samo eher einem bescheidenen Gastgeber glich. Ich genoß dessen Großzügigkeit, aber der Eroberer kitzelte meine Nerven. Und ich wußte nicht, was ich mehr brauchte. Vielleicht bin ich darum so stur geworden, als die Lüge, eine wirklich kleine Lüge über die Bohnen, ans Licht kam.

Heute kann ich darüber lachen; ich sehe kurz zu Nuri hinüber, der gerade seine Frau so vorwurfsvoll anschaut. Sie streiten. Ich verstehe kein Wort. Die ganzen serbokroatischen Wörter, die ich damals gelernt habe, sind wie weggeblasen. Ich habe sie nie wieder gebraucht, wahrscheinlich habe ich sie mit Vorsatz vergessen.

»Lecker«, sagte ich, nachdem ich von den scharf gewürzten Mondbohnen probiert hatte, »wer hat überhaupt gekocht?«

»Ich«, sagte Samo.

»Ich habe nicht gewußt, daß du so toll kochen kannst.«

»Da hast du's, nun kannst du ihn doch heiraten.«

Nuri nahm mich wieder auf den Arm. Vielleicht spürte er schon meine immer hartnäckigeren Zweifel.

»Ja«, antwortete ich, »natürlich werde ich ihn heiraten, wenn er so gut Mondbohnen kochen kann.«

»Und wenn er die Mondbohnen nicht gekocht hätte?«

»Dann...«

»Dann würdest du ihn nicht heiraten«, drängte er.

»Ach, hört auf!« sagte Samo.

Nuri beugte sich zu mir und flüsterte mir ins Ohr: »Er hat sie nicht gekocht. Tante Cemile hat sie gekocht.«

»Ist das wahr?«

Nuri nickte.

Ich wandte mich an Samo: »Ist das wahr?«

Samo senkte den Kopf und lächelte.

Und plötzlich packte mich eine große Lust, ihn zu verletzen. »Du Lügner!« schrie ich und sprang auf, eilte aus der Küche. Mit zitternder Hand öffnete ich die Tür zum Wohnzimmer.

Ich hörte Nuri lachen und den kleinen Jungen rufen. Ich hörte das Geklapper, als die Teller abgeräumt wurden.

Das Quietschen eines Stuhls hinter der geschlossenen Küchentür. Aus dem Arbeitszimmer des Vaters drang die Stimme des Nachrichtensprechers.

Ich warf mich mit dem Gesicht auf den Diwan und weinte. Zum ersten Mal, seitdem ich bei Samo war, weinte ich; ich weinte wegen allem. Wegen meiner bevorstehenden Hochzeit, wegen der Wohnung im sechsten Stockwerk eines Betonklotzes, wegen der Kinder, die man von mir erwartete. Ich weinte wegen Istanbul, das mir Angst machte, wegen Vitche, wo ich nicht bleiben wollte. Weinte wegen Samo, dessen Güte mir plötzlich verdächtig war. Dessen Zuneigung ohne Vorbehalte allen galt, so daß ich nie das Gefühl hatte, etwas Besonderes zu sein. Dessen unkritische Liebenswürdigkeit mir wie eine Selbstaufgabe erschien. Und weinte, weil ich mich getrieben fühlte, Samo untreu zu sein, und er das nicht verdiente. Weinte wegen meiner verlorenen Jugend.

Langsam ging die Tür auf, und Samos Schritte näherten sich. Er setzte sich auf die Kante des Diwans und schaute mich wortlos an. Dann kuschelte er sich neben mich und hielt mich fest. Ich konnte das Rasen seines Herzens hören.

»Es tut mir leid, es tut mir so leid, Liebling«, flüsterte er, »es war nur ein Scherz.«

Ich antwortete nicht, hielt die Augen geschlossen.

»Ich weiß nicht, was daran so wichtig ist, es waren doch nur schwarze Bohnen«, flüsterte er. Aber ich fühlte, daß dieser kleine Zwischenfall etwas Unwiderrufliches bewirkt hatte. Ja, ich ahnte jetzt, daß ich mein Schicksal in die eigenen Hände nehmen mußte und es nicht mehr in Samos Hände legen wollte.

»Ich will gehen«, sagte ich.

»Gehen? Wohin?«

»Nach Istanbul.«

Zuerst reagierte er gar nicht. Er verharrte versteinert,

regungslos. Dann sagte er zögernd: »Natürlich... Nach der Hochzeit kannst du auf einen Besuch nach Istanbul fahren... Hast du Heimweh?«

»Ich will vor der Hochzeit fahren.«

»Was? Vor der Hochzeit?« Er packte mich an den Schultern, als hoffe er, mich aus einem Alptraum zu reißen.

»Ich will gehen.«

Es folgte ein langes, gespanntes Schweigen. Dann stammelte er: »Aber, aber alles ist vorbereitet. Das Rathaus, die Einladungskarten... Übermorgen kommt Mutter mit deinem Kleid zurück.«

»Ich will morgen fahren.«

»Aber wie kommt das? Warum?«

»Du mußt das verstehen«, sagte ich und wandte mich ihm zu. »Versteh mich, bitte.«

»Warum? Sage mir nur, warum?«

Ich konnte es ihm nicht sagen. Ich wußte nicht, wie ich ihm meine ganze Ernüchterung hätte erklären können.

»Bist du unglücklich?«

»Ja«, flüsterte ich. »Ist die Tür abgeschlossen?« brachte ich noch heraus. Ich hatte Angst, daß Nuri mit seinem erbarmungslosen Lachen hereinplatzte.

»Ja, ja. Liebling, ich will nicht, daß du unglücklich bist. Das würde ich mir nie verzeihen, wenn du... wegen mir.«

»Bitte, laß mich morgen gehen«, flüsterte ich.

Wir schwiegen für eine Weile. Dann hörte ich seine Stimme, eine fremde Stimme, tiefer als je zuvor.

»Willst du, daß wir in Istanbul leben?«

Ich schaute ihn nur an und wagte nicht, ihm zu antworten.

24

Unsere letzte gemeinsame Nacht verbrachten wir wie zwei Liebende, die Zuflucht im Untergrund gesucht hatten. Wie zwei Verschwörer. Wir waren dabei, die Glaubwürdigkeit der Familie zu erschüttern. Die Einladungen, die Zeremonie auf dem Standesamt, die aufreibende Einkaufsreise der Mutter... Und nur ich würde dem Zorn und all den anderen Folgen entgehen, wenn unser Entschluß ruchbar wurde. Samo mußte dem standhalten, mußte versuchen, die Wogen zu glätten. Er mußte die Sache rechtfertigen.

Und ich, ich würde nach Istanbul zurückkehren und mich einem Leben am Rand des Abgrunds stellen. Es war jene Zeit, in der immer mehr junge Menschen zu einem Leben in Gefängniszellen verdammt wurden. Sie würden nicht vorauseilen können in eine andere Zukunft. Ich würde zurückkehren und nach meiner Freiheit suchen: vergebens in einem Land, wo das Wort nur für Männer Geltung hatte und wenn es um Geschäfte ging: ›Der freie Markt.‹ Wollte eine junge Frau Freiheit für sich in Anspruch nehmen, dann konnte das nur heißen, daß sie verfügbar war auf dem freien Markt.

Und wie ich jetzt hier im Abteil sitze, unterwegs nach Istanbul, denke ich, daß mich dies Gefühl der Entwurzelung seither überallhin begleitet.

Ich bin inzwischen mit einem englischen Maler verheiratet, doch, abgesehen von den Wochenenden, lebe ich allein in einem entlegenen Haus auf dem Hochmoor, und ringsum gibt es nur den Atlantik und einen leeren Horizont. Das alte Steinhaus trotzt den Stürmen, dem Nebel und einem gewaltigen Licht. Die Landschaft ist grün. Es gibt immer noch Tauben auf den leeren Feldern dort. Ich zähme sie und lasse sie meine Geschichten in die weite Ferne tragen.

25

Samo öffnete eine Schublade. Darin lagen Drusen in verschiedenen Größen.

»Ich will dir eine davon geben«, sagte er.

»Aber was soll ich damit tun?« fragte ich verwirrt.

»Ich werde dir diesen hier schenken«, sagte er und nahm einen kleinen prismatischen Bergkristall heraus. »Nimm ihn.«

Ich nahm den Stein, noch immer verwirrt.

»Das ist das wertvollste Stück«, sagte er. »Wenn du in Istanbul in Schwierigkeiten geraten solltest, geh in einen Juwelierladen und verkaufe ihn.«

Ich flüsterte: »Das ist so gut von dir. Aber du solltest ihn besser behalten.«

»Du kannst ihn nehmen; ich kann ihn nicht verkaufen, das ist hier verboten.«

Ich schaute den Kristall verblüfft an, dann sagte ich: »Nein. Ich werde ihn nicht nehmen.«

Er schaute mich kurz an und legte den Bergkristall sachte in die Schublade zurück.

26

Ich packte meine Sachen in ängstlicher Heimlichkeit. Es gab einen Bus nach Niš, und von dort fuhr abends ein anderer nach Istanbul. Es würde eine lange Reise werden.

Den Koffer versteckte ich unter dem Diwan. Meine Hand zitterte, als ich Samos Vater Tee einschenkte. Ich hatte Angst, mein Blick würde meinen Verrat offenbaren. Heute frage ich mich, was Samos Vater getan hätte, wenn er herausgefunden hätte, daß ich noch am selben Abend wegfahren wollte. Wie hätte er reagiert, wenn ich ihm gesagt hätte, daß ich den Nachtbus nach Istanbul nehmen würde? Ich kann mir immer noch nicht vorstellen, daß dieser kleine zerbrechliche Mann in Zorn ausgebrochen wäre. Vielleicht hätte er mich gebeten, mich zu ihm zu setzen und ihm mein Herz auszuschütten, aber da wir uns kaum in einer Sprache unterhalten konnten, wäre das gar nicht möglich gewesen.

Als ich an jenem Nachmittag den Tee servierte, habe ich nichts gesagt. Ich antwortete auf seine Fragen, zwang mich zu einem Lächeln.

»Ja, mir geht es gut«, sagte ich und blickte zu Boden.

Ich konnte ihm nicht »Auf Wiedersehen«, nicht die Wahrheit sagen. Die würde er erst nach meiner Abfahrt erfahren. Nur an diesem Abend besaß ich noch die Möglichkeit zur Flucht. Morgen wäre Samos Mutter wieder zurück, und sie würde meine Willenskraft lähmen.

Wir verließen das Haus, als es dämmerte. Samo parkte sein Auto kurz vor dem Gartentor. Er lief schnurstracks ins Haus, ohne sich umzuschauen. Ich stand im Zimmer, mein Koffer neben mir. Ich konnte die Geräusche des Fernsehers im Zimmer seines Vaters hören.

Samo flüsterte: »Bist du soweit?«

Ich nickte.

Er hob meinen Koffer hoch und trug ihn schnell hinaus. Wie eigenartig, daß wir das Haus so leicht verlassen konnten.

Es nieselte, und ein leichter Schleier verhüllte die Stadt.

Bevor Samo die Kupplung trat, schaute er rasch noch einmal zurück. Ich tat dasselbe. Der kleine Rami stand auf der Schwelle. Er hob die Hand, als ob er uns aufhalten wollte.

»Rami hat uns gesehen«, sagte ich.

»Er wird nur denken, daß wir ausgehen.«

»Meinst du, er wird deinem Vater jetzt davon erzählen?«

»Kann sein«, sagte er und fuhr um so schneller die Straße hinunter. »Nichts, wovor du Angst haben müßtest. Wird schon alles gutgehen.«

Die Brücke kam näher. »Ich werde nach Istanbul kommen. Ich werde es tun«, sagte er und starrte mich mit einem eigenartigen Ausdruck an, bitter und trotzig. Ja, er sah anders aus.

»Sobald du dort bist, wirst du mir schreiben. Bitte!« sagte er.

»Ja«, murmelte ich.

Er legte seine Hand auf mein Knie und drückte es. Da fühlte ich seinen Groll.

»Wir werden bei meinem Onkel in Aksaray bleiben«,

sagte er, »er kennt viele Leute und wird eine Stelle für mich finden.«

Ich wich seinem Blick aus und schaute mich um. Ich sah viele Menschen in der Einkaufsstraße auf und ab gehen und ich dachte, ich werde sie nie wiedersehen.

Wir fuhren die Marschall-Tito-Straße entlang und hielten schließlich auf einem matschigen Platz. Ein schäbiger Bus wartete; nur wenige Fahrgäste saßen darin. Der Fahrer, ein dicker Mann um die Vierzig, gab uns die Hand. Er fragte, warum ich denn fahren wolle.

»Sie vermißt ihre Mutter«, sagte Samo.

Der Fahrer lachte. Dann versuchte er, mir zu erklären, daß er auf mich aufpassen würde, ich solle mich nach vorne setzen, neben ihn.

Samo bat ihn, mich in Niš dort abzusetzen, wo der Bus nach Istanbul losfuhr. Der Fahrer versprach, daß er mich in den Bus setzen und auch seinen Kollegen bitten werde, sich um mich zu kümmern.

Es blieben uns noch zehn Minuten bis zur Abfahrt. Wir gingen ein paar Schritte weg vom Bus und standen aneinandergekauert im düsteren Licht einer Straßenlaterne im nebligen Nieselregen. Ich streichelte Samos schmalen Rücken. Ich fühlte, wie gebeugt er war, als habe er eine schwere Last zu tragen. Unsere Körper zeigten, daß wir eine Liebe geteilt hatten, wie das nur jungen Menschen gelingt.

Heute frage ich mich, ob Samo bei seinem Groll gegen mich geblieben ist. Ich glaube nicht. Er war kein Mann, der lange an Groll und Zorn festhielt oder auch an seinen Erinnerungen.

»In einem Monat, abgemacht?« flüsterte Samo.

Ich flüsterte zurück: »Ich schreibe dir.«

»Ich werde jeden Tag auf deinen Brief warten«, sagte er.

Ich war der letzte Fahrgast, der in den Bus stieg. Der Fahrer saß schon auf seinem Platz.

Wir umarmten uns noch einmal. Ich konnte unsere Herzen rasen hören. Ich kletterte in den Bus und setzte mich.

Der Bus setzte sich in Bewegung. Ich schaute zum letzten Mal in Samos Gesicht. Seine Rührung ließ sein schmales Gesicht breiter wirken. Und dieses, das letzte Bild von ihm, habe ich nie vergessen. Jetzt, da ich die Täuschungen der Liebe kenne, glaube ich, daß man die Leidenschaft rasch vergißt, doch nicht die Zuneigung zueinander.

Ich winkte noch, als er schon längst in der Dunkelheit verschwunden war.

Wir ließen die Stadt hinter uns und fuhren durch Felder.

Der Fahrer zeigte hinaus. »Kennen Sie das Amselfeld?« fragte er mich.

Da dachte ich an Onkel, den uralten Mann, der mir wie eine Traumgestalt in Erinnerung geblieben war; ganz unwirklich, wie das Osmanische Reich, das auch nicht zu meiner Welt gehört.

Als sich der Bus Niš näherte, öffnete ich meine Handtasche, und meine Hand berührte etwas Hartes. Ich zog es heraus. Es war der kleine Bergkristall.

Da traten mir die Tränen in die Augen.

27

Nuri hilft der Frau in ihren Mantel. Dann hebt er die Koffer aus dem Gepäcknetz, zwei nagelneue Koffer aus Kunstleder. Koffer von Emigranten, die auf Besuch in die Heimat fahren, nach Hause, um Erinnerungen aufzufrischen, um all die Mißgeschicke auszugleichen, die die Suche nach dem größeren Glück im Ausland mit sich bringt.

Ich beobachte das Paar. Die beiden sind glücklich, daß sie ihr Schicksal gemeinsam tragen und über die gleichen Dinge lachen können, so wie Auswanderer es tun.

Ich sehe Nuri, wie er die Koffer herunterhebt. Sein Körper hat nicht mehr die Festigkeit, die er vor zweiundzwanzig Jahren hatte und strahlt auch kein Selbstvertrauen mehr aus. Sein Rücken ist leicht gekrümmt. Er wird wohl kein leichtes, kein glückliches Leben gehabt haben. Ich spüre eine Zuneigung in mir aufflackern, als ich mich an den energischen, ehrgeizigen, jungen Mann erinnere, der er damals war. Er war es, der mir die Entschuldigung für meine Flucht vor einer Ehe mit Samo lieferte.

Ich starre Nuri an. Sprich ihn an, sprich ihn an, drängt eine innere Stimme. Überrasche ihn, setze ihn in Erstaunen. Erinnere ihn daran. Frage nach Samo. Nach seiner Mutter, seinem Vater, seinem kleinen Bruder Rami, dem temperamentvollen kleinen Jungen. Ich kann das Lachen nicht unterdrücken, wenn ich ihn jetzt wieder vor mir sehe, den Aufstand, den er machte, weil er beim Seker Bayram, dem Zuckerfest, den Erwachsenen die Hände nicht küssen wollte. Er trampelte und stampfte mit den Füßen und schrie: »Ich küsse keinem Menschen die Hand! Ich bin Marxist!« Und wir haben gelacht. Ja, frag Nuri, was aus dem kleinen Rami wurde. Was für ein Mann? Ein Ingenieur? Ein Politiker? Und Samo, was für ein Mädchen hat er geheiratet? Hat er mich schnell vergessen? Ich fürchte, er hat mich schnell vergessen. Samo, der Mann, der leichte Lösungen bevorzugte. Frag Nuri, wer das Hochzeitskleid getragen hat, das in Istanbul für mich gekauft wurde. Frag, ja, frag ihn nach Samo. Ach, Samo. Kein anderer Mann hat mir je ein solches Gefühl der Geborgenheit gegeben. Und doch bereue ich meine Flucht nicht. Ich bereue auch nicht, wie ich jetzt lebe. Ich wollte Grenzen überschreiten. Klischees zerstören. Allen Hindernissen trotzen. Und ich habe dafür bezahlt mit einer Entwurzelung, die nicht wiedergutzumachen ist. Nur wenn ich wie eine Buddhistin im Schneidersitz hocke und meditiere, fühle ich, daß der Atem unsere Heimat ist.

Ich glaube an die Religion des Atmens. Sich zu finden, Tag für Tag.

Ich bin auf dem Weg in die Türkei. Ich wollte nicht fliegen. Ich brauchte die lange Reise, eine lange Reise quer durch Europa. Mitte September. Das sanfte Ende des Sommers. Ich werde in einem winzigen Dorf an der Mittelmeerküste wohnen.

Ich werde das Licht einfangen und festhalten, den pfirsich- und purpurfarbenen Sonnenuntergang, die Luft, die nach Pinien und Jod riecht, die nußbraunen Berge. Jedes Jahr kehre ich dorthin zurück, um Ruhe zu finden bei den Wurzeln. Aber ich finde dort nur Erinnerungen. Man fragt mich oft nach meinen Wurzeln. Ich habe gelernt, bei dieser Frage zu lächeln.

»Meine Wurzeln sind in den Geschichten, die ich erzähle.«

Ich habe in verschiedenen Ländern gelebt und herausgefunden, daß ich Menschen nahe sein kann, ohne mit ihnen Erinnerungen zu teilen, ohne gemeinsame Wurzeln zu haben. Ich habe die Widersprüche kennengelernt. Ich habe gelernt, mich dem Schicksal auszuliefern und mein eigenes Schicksal zu schmieden. Ich habe gelernt, mich gleichzeitig zu binden und zu lösen. Mehr habe ich bei meinem Exodus nicht gelernt.

Nuri und die Frau stehen vor der Abteiltür. In wenigen Minuten werden sie den Zug verlassen.

Sprich jetzt mit Nuri! Sonst verschwindet er für immer; der junge Mann von vor zweiundzwanzig Jahren. Ja, sprich mit ihm, mit dem Rebellen, dem selbstsüchtigen Rebellen, zu dem ich mich einst hingezogen fühlte, der mich aus der Sicherheit der Unschuld riß. Ob er einen Mercedes gekauft und ein deutsches Fräulein gefunden hat?

Er platzte in unser Zimmer, gerade als wir ins Bett wollten. Da stand er und schwankte ein bißchen, wunderbar und verschwitzt.

Er fuchtelte mit einer Flasche herum: »Wollt ihr mit mir einen Sliwowitz trinken?«

Samo sagte, daß wir uns gerade hätten schlafen legen wollen.

»Schlafen, schlafen!« spottete Nuri, »wir werden alle viel Zeit zum Schlafen haben, wenn wir tot sind. Wißt ihr, warum ich heute nacht zu euch gekommen bin?«

Wir starrten ihn an, eingeschüchtert von seiner offensiven Vitalität. Er ließ sich in einen Sessel fallen. Mit überbetonter Vorsicht stellte er die Flasche auf den Boden und zog einen Umschlag aus der Tasche. Der Umschlag war bereits geöffnet. Er zog einen maschinengeschriebenen Brief hervor, faltete ihn langsam auseinander und schwenkte das Blatt zwischen Daumen und Zeigefinger.

»So ist es recht«, sagte er wieder spöttisch, »euer Bruder Nuri wird in Deutschland erwartet. Das ist die Einladung.«

»Deutschland? Du willst nach Deutschland?« Es war Samo. Ich brachte kein Wort heraus.

»Ja, dorthin werde ich gehen. Ich habe mich vor Monaten beworben, und heute kam der Brief in der Fabrik an.«

»Warum hast du uns nie etwas davon erzählt?« fragte Samo vorwurfsvoll.

»Weil ich wußte, daß du versuchen würdest, mir das auszureden.« Ein sarkastisches Lächeln überzog sein knochiges Gesicht. Er faltete den Brief, steckte ihn wieder in den Umschlag und verstaute ihn vorsichtig in seiner Tasche.

»Was für eine Arbeit?« fragte Samo.

»Siemens, Berlin.« Seine Augen funkelten, er stand auf und ging zum Geschirrschrank. Er nahm drei Gläser heraus.

»Bist du müde?« fragte mich Samo.

»Nein. Bin ich nicht.«

»Willst du einen Sliwowitz?«

»Warum nicht?«

Nuri gab mir das erste Glas, das zweite bekam Samo, dann setzte er sich wieder in den Sessel. Er hob sein Glas, als wolle er uns zuprosten.

»Auf euer Glück!« sagte er.

»Auf deins!« antwortete ich und äffte seine Ironie nach, indem ich auch mein Glas erhob. Unsere Blicke trafen sich, und ich erinnerte mich an unseren unterbliebenen Fehltritt. Ich hatte das Gefühl, daß ich ihn vermissen würde; das Leben, für das er sorgte, und die Heimlichkeiten. Die Stadt würde mir noch düsterer vorkommen, wenn er gegangen war.

Er hielt Samo und mir Zigaretten hin. Ich nahm eine. Mit gespielter Verehrung gab er mir Feuer. Gleichzeitig hoben wir den Kopf; der Rauch unserer Zigaretten vermischte sich.

»Ist es, weil...?« Samo zögerte weiterzusprechen. Ich konnte erraten, was er fragen wollte. Er deutete auf mich: »Sie weiß es. Sie weiß von Sirlanka. Ich habe ihr davon erzählt.«

»Du hast es ihr erzählt?«

Ich beantwortete seine Frage: »Ja. Samo hat es mir erzählt.«

»Dann weißt du ja, was für ein herzloses Arschloch ich bin«, lachte er mit Selbstverachtung.

»Fliehst du?« fragte Samo.

»Das ist einer der Gründe...« sagte Nuri und versuchte, seine Angst zu verbergen. Die Angst, von Sirlankas eifersüchtigem Ehemann erschlagen zu werden.

»Aber egal, ob dieser oder ein anderer Grund, ich wollte einfach weg von hier. Weg von diesem Ort. Ich habe die Nase voll.«

Er blickte mich kurz an. Ein Zittern durchfuhr mich. Er kippte den Sliwowitz hinunter. Dann sagte er ganz unvermittelt: »Habt ihr gehört? Der Onkel ist gestorben.«

»Onkel?« stieß Samo hervor.

»Nicht unser Onkel, aber der Onkel von allen, unser Ur-
onkel.«

»Wirklich?« fragte ich, von der Nachricht getroffen.

»Ja. Er ist gestorben. Ganz ruhig, sagen die Leute. In seiner Hütte. Feierlich gekleidet lag er auf seiner Pritsche.«

»Ich mochte ihn«, stammelte ich.

»Weißt du, wie alt er war?« fragte Nuri. »Einhundertundsechs Jahre.«

»Einhundertundsechs?« riefen Samo und ich aus. Plötzlich glaubte ich doch, daß er der Tischler aus der Geschichte war, die mir meine Großmutter erzählt hatte. Ich glaubte, daß er aus dem dunklen Kerker des Yildiz-Palastes entkommen konnte. Ich war traurig, daß nun niemand mehr meine Vermutung bestätigen konnte. Und es war keiner mehr da, der mir Märchen und Geschichten erzählen würde. Da saßen wir drei, Samo, Nuri und ich, waren betrunken und besorgt über unsere Zukunft.

»Nächstes Jahr zu Weihnachten werde ich mit einem Mercedes kommen«, sagte Nuri, »und vielleicht mit einem Fräulein.«

»Das wird Mutter nicht gerne sehen«, sagte Samo, »und Vater erst recht nicht. Er hat gegen die Deutschen gekämpft.«

»Ach, das ist lange her«, sagte Nuri, »die Zeiten haben sich verändert. Keine Faschisten mehr in Deutschland. Freiheit. Eine Menge Freiheit in Berlin. Bierkeller, die die ganze Nacht auf haben. Harte Arbeit, aber ein gutes Leben. Hier arbeiten wir hart, aber wir leben nicht.«

»Wir sind hier glücklich«, sagte Samo. Er schaute mich an. »Nicht wahr?«

Ich habe nicht reagiert.

»Ich will etwas sehen von der Welt«, fuhr Nuri fort,

dann tastete er nach seiner Flasche und schenkte sich noch einen Schluck ein.

»Willst du noch?« fragte er mich.

Ich hielt ihm mein Glas hin.

Wir schwiegen eine Weile. Dann stand Nuri auf.

»Schlaft gut, ihr Turteltauben!« sagte er theatralisch und hob die Hand, als er schwankend und unsicher aus dem Zimmer trat.

Nun könnte ich Nuri fragen, ob er in Deutschland ein besseres Leben gefunden hat. Ob er einem Fräulein begegnet sei und ob er sie zu Weihnachten mitgenommen habe nach Vitche.

Und ich möchte ihn fragen, was er damals von dem verletzlichen Mädchen gehalten hat, der Verlobten seines Bruders. Welche Empfindungen hatte er, als er sie an jenem Nachmittag nackt im Badezimmer überrascht hat? Hat er sie begehrt? Oder war er auch da nur dem Impuls gefolgt, dem er immer folgte, den Leuten den Spaß zu verderben, Träume zu vereiteln? Ja, all diese unbeantworteten Fragen, jetzt könnte ich sie ihm stellen. In einem ganz ungeeigneten Augenblick, jetzt, wo er die Abteiltür des bremsenden Zuges aufdrückt. Nein. Ich kann nicht sprechen. Aber plötzlich höre ich, wie er zu mir etwas sagt.

»Auf Wiedersehen.«

Und unwillkürlich sage ich: »Güle güle, Nuri.«

Er bleibt stehen, schaut mich an, ist verblüfft, einen Augenblick lang wie versteinert, dann überzieht, wie von fern, ein unsicheres Lächeln sein faltiges Gesicht.

Die Frau nimmt seinen Arm und redet drängend auf ihn ein, sie müßten sich beeilen, wird sie sagen. Und jetzt steigen sie wirklich aus.

Ich schaue aus dem Fenster. Nuri stellt die beiden Koffer auf dem Bahnsteig ab. Er dreht sich zum Zug und sucht nach dem Fenster. Dann trifft der Blick aus seinen müden, traurigen Augen den meinen. Er hebt langsam die Hand.

Etgar Keret

Gaza Blues

Erzählungen. Aus dem Hebräischen von Barbara Linner
184 Seiten, gebunden

Großstadtgeschichten aus der Downtown: von Händlern und Boxern, Nachtschwärmern und Religiösen, Spionen und der Schule der Zauberer – knapp und lakonisch wie Comics, voller Menschengeschichten, Lebens-, Liebes- und Haßgeschich-ten, mit immer unerwarteten Wendungen und Schlüssen. Kerets kurze, mit Tempo erzählte Geschichten sind so ungewöhnlich wie ihr Erfolg. Gaza Blues wurde in Israel ein Kultbuch und erlebte innerhalb kürzester Zeit zwölf Auflagen.

»*Trauer und Witz sind in allen Strophen des* Gaza Blues *nah beieinander. Keret hat einen scharfen Blick für das groteske Detail, für den Aberwitz des Alltäglichen, und darum sieht er in der Trostlosigkeit immer wieder Lebenslust und Schönheit aufblitzen.*« FAZ

»*Mit Witz und Ironie hat Etgar Keret den Ton seiner Generation getroffen.*« NZZ

»*Keret schreibt beinahe so, als wäre er 1919 in New York geboren worden und hieße Jerome D. Salinger. Dann weht plötzlich die feuchtwarme Großstadtluft von Tel Aviv durch die Buchseiten und riecht nach Abgasen und Lebenslust wie ein Hauch von Wahrhaftigkeit.*« Der Spiegel